商周出版

下一個社會

彼得・杜拉克 Peter F. Drucker 著

MANAGING IN THE NEXT SOCIETY:
BEYOND THE INFORMATION REVOLUTION

劉真如 譯

管理大師彼得・杜拉克
對下一個十年的五大預言

中國十年內將分裂

亞洲的社會危機

區域保護主義將取代全球化

人口結構急速老化

知識工作者一夕成名致富

〈新商業周刊叢書出版緣起〉

期待中國的商業烏托邦

何飛鵬

九七年，現代中國處在劇變中，大陸與香港沉陷在回歸的熱潮裡，變動中有疑慮有期待；台灣則努力修憲中，雖然打得頭破血流，但總算找到結論。

亞洲的中國政治舞台雖然充滿變數，但經濟商業領域完全不受影響，台灣的電子業，動輒以千億的投資，推砌「台灣科技島」的未來，大陸則以每年接近兩位數的經濟成長率，說明中國經濟發展正在極限加速！

這樣的發展，頗符合小老百姓的心情：政治是野心家及政客的事，無法管也管不著，只好埋頭做自己的事：賺錢，改善生活。中國經濟的發展，或許正是在這樣的心情下，逐步累積而成。十五年前我們埋首創辦《商業周刊》，出版商業叢書，是用這樣的心情。十年之後，「政經分離」的無奈仍在，我們仍然只能在中國商業環境上努力，政治上只能期待明天會更好！

不過，回首這十年來我們所出版的書籍，在態度上的改變甚大，原因在於台灣已經從開發中國家，逐漸邁入已開發國家之林，讀者對商業知識的需求也從飢渴的全盤接受，到講求專業、深度、即時與不斷更新。

當然，商業周刊出版公司在內部也做了結構性的轉換，我們結合了有共同理念的兄弟公司——麥田出版與貓頭鷹出版社，共同成立城邦出版集團，這象徵著我們和所有中國的讀者寫下

承諾，願意在知識的傳播路上，與所有的讀者們攜手前進。

「新商業周刊叢書」與「Q&A新系列」，重新調整步伐，用嶄新的面貌，與大家見面，也就成爲理所當然的事。這兩個系列，可說是商業周刊出版的招牌書系，就像十年前一樣：「我們用商業周刊每週替讀者分析、回顧商業變動，我們也用商周叢書，爲社會推動基礎商業知識和教育。」不同的是，商業的基礎教育步調更快，著力更深，早期的每月一書已無法滿足讀者需要，每週一書或更多，也許更符合時代的腳步。

這兩個書系共同的願望是——期待二十一世紀中國商業烏托邦的來臨，我們希望在表象活力充沛的商業活動，更能有商業文化的內涵，其中包括一個沒有政策扭曲，交易無障礙的商業環境，也包括無數組織嚴謹，競爭力無限的企業體。當然還有能力全面、知識豐富，具有國際眼光的企業家與工作者，這樣的組合，將是現代中國邁向已開發國家的保證。

不過目標雖一致，但在編輯及使用上，這兩個書系也各有特色，「新商業周刊叢書」係針對個別命題，以結構嚴謹的方法，徹底解說。「Q&A新系列」，則仍維持「百問百答」的寫作方式，方便讀者從問題中尋找答案，快速解決心中的疑惑。

在選題上，這兩個書系放棄議題大小的考量，只要對讀者有用，議題再冷僻，我們都願意爲讀者做，或許時間會幫助我們完成願望：讓商業周刊出版的書，塡寫商業活動的每一個角落。

（本文作者爲商周出版發行人）

下一個社會

MANAGING IN THE NEXT SOCIETY:
BEYOND THE INFORMATION REVOLUTION

目錄

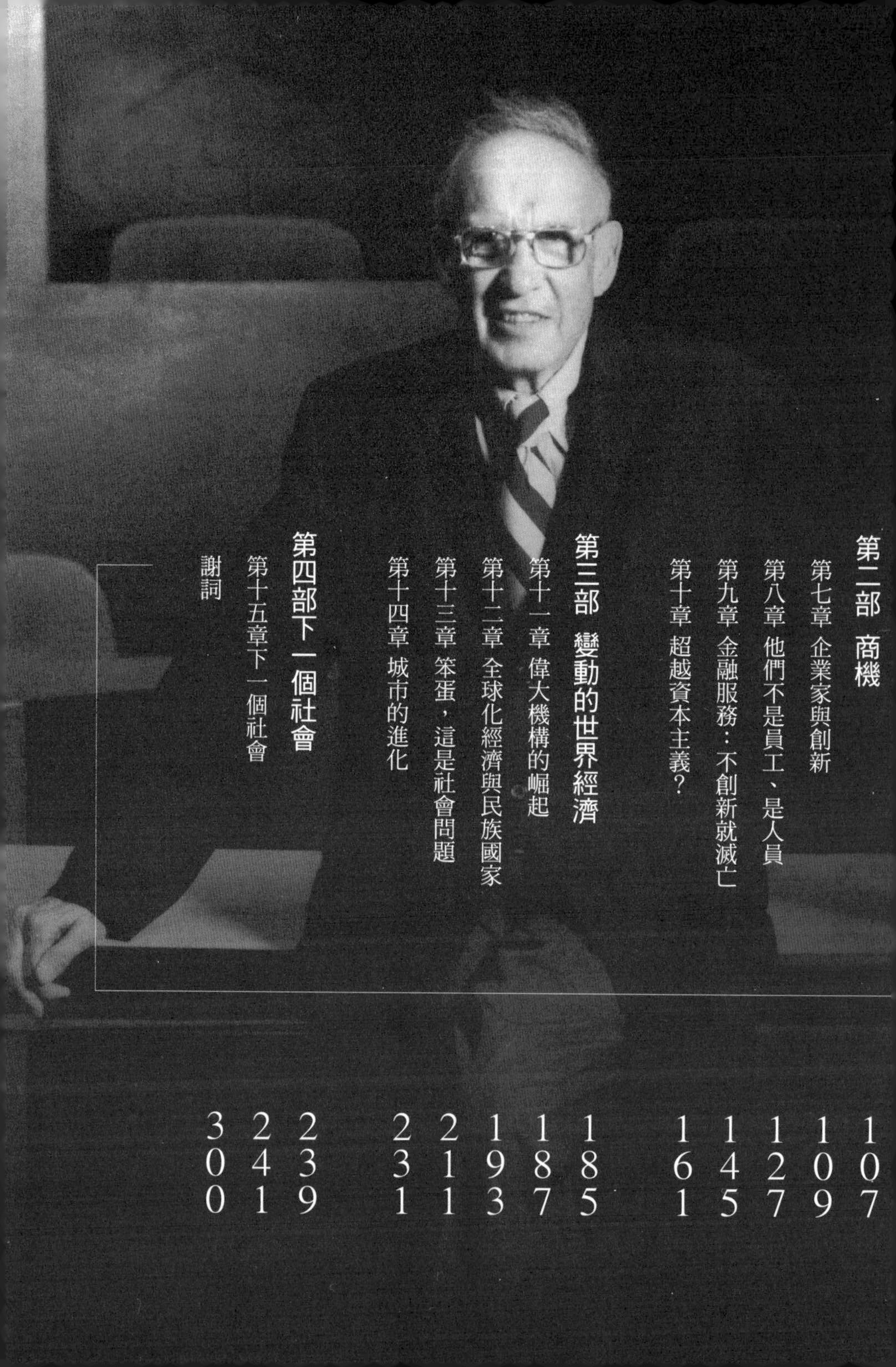

推薦序一

靜觀歷史洪流的巨眼

司徒達賢

企業經營者的時間與注意力多半集中在業務開拓、產銷協調、資源分配，以及人事與財務等方面，這些的確也是日常管理問題的核心。然而如果想要在根本上提升這些工作的績效，掌握經營管理的本質，就必須從更微觀與更巨觀的角度來進行較為深入的思考與分析。

在微觀方面的深化，就必須講究溝通、激勵、學習、知識累積的細節，於是我們就應研究人與人之間，以及機構與機構之間如何合作、交易；如何建立互信；以及認知與知識整合的過程、個人創新與組織創新的機制等等。

在巨觀方面，又可分為兩大部分，一是產業環境，二是大環境。就前者而言，經營者必須了解產業的特性與消長、現有與潛在競爭對手的走向與意圖、科技的趨勢，以及顧客需求的變化。在經營策略的領域中，已有許多方法和研究專注在產業分析、消費趨勢，與特定科技的發展與衝擊。

在巨觀角度的第二個部分——大環境或總體環境，所關心的議題在層次上又高過

了產業環境。世上的資源、人類所擁有的科技和知識、社會的需求與價值觀，交錯影響，動態地形成了我們所處的大環境。在這些因素的互相激盪下，政治機制不斷解構重組，經濟體制持續突變或微調，新的機構興起，老舊的機構逐漸衰微甚至一夕之間煙消雲散。這些不僅形成了企業經營的環境，也往往改變了企業經營的基本遊戲規則。習於埋頭苦幹的經營者有時也應該抬起頭來，高瞻遠矚一番，試著了解與掌握這些大環境變遷的方向，以及這些改變對生存空間與未來機會的意義。

大環境的分析是件極富挑戰性的工作。分析者一方面必須對人類過去歷史的發展與演變有相當深入的知識與見解，一方面又要對現今世界上經濟、政治、文化，以及企業活動擁有廣泛而深刻的觀察。然後在整合了這許多資訊與觀點後，敢於提出人所未見的預測，明確指出企業應努力的方向，並且留待後人的驗證與批判。

能做這種分析預測的人不多，其預測在數十年後還能禁得起考驗的更少。學術的潮流使大部分學者日益重視細微末節的研究發表，支離破碎的知識體系也限制了學術界與真實世界的對話。其結果是，即使許多人已體會到大環境的重要，但卻不易從經濟學家、政治學家、歷史學家、社會學家得到有關未來經營環境的啟示與忠告。

舉世學者之中，杜拉克是極為例外的少數人之一。多年來，他以廣博的學識基礎加上對世界全方位的接觸與了解，不斷提出對未來世界的預測，並明確指出這些變化

對企業經營的意義。這本《下一個社會》，再度對新世紀的種種發展，提出了許多發人深省的觀點，讓讀者能藉著大師的巨眼，一窺歷史洪流的未來走向。

（本文作者為國立政治大學企業管理所系教授兼政治大學副校長）

推薦序二

拼經濟？拼社會？

林能白

台灣經濟在最近幾年面臨很大的挑戰，一方面中國大陸經濟崛起，台灣的製造業逐漸外移，同時網際網路興起與全球化趨勢，又加速經營環境變化的速度，卻也似乎帶來新的商機。這些變化的速度之快、範圍之廣、影響之大，使得很多企業家與經理人無所適從，對於未來充滿不確定感與焦慮，也因此很多人寫書，探討未來經濟環境的變化趨勢及因應之道。然而很多書籍探討這些變化趨勢的時候，常常侷限於某一個地區或某一個時代的情況，無法超越時空的限制，提供客觀的分析觀點，甚至誇大變化的程度及影響力，使後續者更加焦慮。

在影響企業經營的未來的變化趨勢當中，資訊革命與網際網路的影響可以說是被討論最多的，另外有一個非常重要但是還未受到足夠注意的趨勢，就是社會的變化。本書作者彼得·杜拉克先生是管理學大師，見多識廣，眼光獨到，作者將過去四、五年間發表的論文與訪問稿加以整理在本書發表，整體而言，作者雖然不是很有系統的

陳述他的看法，不過書中的內容歸納起來，主要在探討資訊革命和社會變化兩個重要趨勢對經理人的意義。

作者在討論資訊革命的趨勢時，將時間拉到工業革命的時代，在探討社會變化時則將時間移到一千年前，同時書中涵蓋了美國、日本、亞洲、歐洲等世界各地的情形。因為時間與空間的拉長，使得讀者能從宏觀與長期的觀點，更清楚這些變化的真正意義及影響，這是本書一個重要的特色。

作者根據工業革命的經驗，認為資訊科技會產生料想不到的產品與衝擊，其中電子商務在資訊革命中的地位，就像鐵路在工業革命中的地位一樣，是完全沒有前例，預料不到的全新發展。電子商務也迅速地改變了經濟、社會和政治，而未來二十年，還會產生很多和資訊科技沒有直接關係的意想不到的產品與變化。另外作者在書中非常強調知識員工的重要性，認為要在未來的經濟和科技中維持領先，關鍵是社會要承認知識人才的價值，不能把他們當傳統的員工。作者特別提到在傳統勞動力中，員工是為制度服務，在知識勞動力中，制度必須為員工服務。作者並且提到美國有龐大的商品貿易赤字，卻有龐大的服務業貿易剩餘，這些都是知識員工的貢獻。

本書也用很多的篇幅討論經理人應該注意的社會變化，作者認為在過去四、五十年裡，經濟是整個國家社會的主導力量。但是在未來二、三十年裡，社會問題會變成

主導力量，社會事業會跟經濟企業一樣重要，甚至更重要。作者甚至認為在美國，經濟很健全社會卻很病態，同時也憂心在全球化的浪潮下，企業雖然逐漸茁壯，但攸關全民利益的社會課題，卻沒有人關心，製造出更多社會問題。因此健全的國家需要三個部門：政府、企業與公民社會，像醫療、教育、都市管理等社會事業，未來都很值得重視，也有很大的發展空間。

這本書所提供的觀點很值得台灣社會參考，發展知識經濟與知識產業已經是社會大眾的共識，大家也強調人才培育的重要，但企業家是否能真正用全新的觀點對待知識員工，將他們視為夥伴甚至外包商，共同分享努力成果，仍值得注意。同時在製造優勢逐漸消失的同時，如何發展創意產業與服務業的競爭優勢，減少服務業輸入，甚至成為文化與服務業輸出國，仍有待努力。更重要的是，知識員工追求的不只是有形報酬，生活品質與社會品質更是留住人才的關鍵。如果美國社會都被作者形容為病態，那台灣的社會品質不曉得應該如何形容?因此重視公民社會、發展教育、都市管理、環保醫療等社會事業，既可幫助產業轉型，創造就業機會，又可改善社會與生活品質，留住人才，實在值得大家深思與努力。

（本文作者為台電公司董事長暨台灣管理學會理事長）

推薦序三

傾聽大師再一次的預言

許士軍

「下一個社會」不是「新經濟」

一九〇九年出生的當代管理大師或——更準確地說——「大師中的大師」彼得・杜拉克，最近又有新著問世了，這就是展現在讀者眼前的這本《下一個社會》（**Managing in the Next Society, 2002**），從原著書名來看，他所關心的，乃是下一個社會的管理——一個他自稱是他「最愛的」社會活動領域。

值得注意的是，這部著作中所稱的「下一個社會」並不是一般人所討論的「新經濟」（**the new economy**），不但不是，杜拉克更明白表示他的看法。他說：「在過去四、五十年裏，經濟是主導力量，然而未來二十到三十年裏，社會問題變成主導力量。」他又說：「新經濟還不一定出現，但毫無疑問地，下一個社會很快地就會出現。」而且，「這種下一個社會的重要性，會遠遠超過新經濟。」

在他心目中，這種下一個社會出現的時間，大約在公元二〇三〇年左右。重要的

是，這種下一個社會並不是目前社會的延伸，它和我們目前以及上一世紀所熟悉的社會相較，有許多構成要素是前所未有的。因此，這種下一個社會並不是目前社會的延伸。

人口結構，全球化和新科技發展

整體而言，造成下一個社會的原因主要來自：人口結構、全球化和新科技發展。首先，他特別關注許多國家人口高齡化所帶來在政治、社會和經濟方面的影響；例如退休金制度和外來移民問題都將成為這些國家選戰中的主要議題。其次，在全球化潮流下，每一個機構都必須擁有全球競爭力，尤其是那時的跨國公司和將今天所存在的多國公司迥然不同，它是靠策略結合而不是靠所有權結合。第三，在科技發展中，網際網路——尤其是電子商務——的普遍化，加上前此所討論的改變，使得過去曾經帶給日、台灣、南韓、香港和新加坡那種創造經濟奇蹟的模式也變得行不通。

儘管杜拉克在書中許多地方聲稱，他並不能夠對未來將要發生的事都能準確預言，但是上面所描述的基本趨勢，在他看來，是相當肯定的。這也構成他對於未來成功的管理作法主張的基礎；換言之，為了配合未來無國界、無組織和個人化趨勢，我們所需要的將是不同於過去的組織。

高齡化社會

在這本著作中，杜拉克似乎對於高齡化社會的來臨給予最多的關注。他以日本和法國為例，到達公元二〇三〇年時，這兩國家有一半成人超過六十五歲。由於人們壽命延長加上企業和組織的平均壽命相形縮短的結果，在社會中將出現六十歲以下和六十歲以上兩組的工作人口；前一組所追求的是比較固定、專職的工作，而後一組人的工作型態則有較大的彈性，可以是臨時性或兼職性的，而且他們的工作可以和休閒結合在一起。

知識工作者

同時，在下一個社會中，所謂「知識工作者」將成為社會的主導力量。要使這種知識工作者發揮其能力和貢獻，只是依靠獎金和認股權的引誘是不夠的，何況，他們一般效忠的對象不是雇用他們的機構，而是自己的專業。因此不能將他們看做是一組織的「受雇者」，可以直接命令和指揮，而應將他們當做是「夥伴」看待。杜拉克認為，要和夥伴合作，你必須了解他們的價值觀、目標和期望，而企業本身也要以價值觀、使命和願景確立自己在社會上的正當性。基本上，這有如和顧客打交道，靠的是行銷工作。杜拉克更進一步指出，要企業做到這一點，還要社會承認知識工作者的專

業地位才能落實。

「創造性毀滅」不能靠目前這種組織型態

正如同杜拉克在他許多著作中所一貫強調的創業和創新的重要性，下一個社會中能夠生存的公司必須擁有「領導改變能力」，也就是實現經濟學者熊彼得所主張的「創造性毀滅」的能力。他認為，我們不能靠目前這種組織型態以實現創新，這是不會成功的；因為目前的組織乃是藉由外在的科技力量以推動改變，本身缺乏改變的原動力。重點在於組織必須改變其心態——不把改變當成威脅，而是視為機會。杜拉克認為，美國企業中，除少數如奇異、英特爾、默克和花旗等外，在創業精神方面是比不上韓國、台灣，甚至不如日本和德國。主要原因即在於一般美國企業將創新界定在技術層次上。

多元主義的再興起

在這著作中，杜拉克也特別注意到多元主義的再興起這一趨勢。他追溯中世紀西方社會中，不論是宗教或世俗單位都擁有自主地位和權力。但是十五世紀以後，由於民族國家出現，經過五百年發展，主權國家變成社會唯一的權力軸心。但是十九世紀

中葉後，隨著企業興起以及隨後迅速出現的許多其他新機構，形成各式各樣的「利益團體」，他們都向政府爭取自主權。不過，由於這種自主權和中世紀的多元化相較，一方面它乃是建立在社會所需要的某種功能上，有其正面意義；但是在另一方面，它和八百年前情況仍有相似之處，那就是各種團體可能追求本身利益的結果，沒有人關心共同利益，使得社會喪失其制定共通政策的能力。如何調和這兩方面的力量，在本書中認為是「已開發國家在第二個千禧年裏留給第三個千禧年的艱鉅挑戰。」

再一次的預言和建議

這一著作的一個特色是：書中各章不是第一次與讀者見面，它們代表作者在一九九七年到二〇〇一年間在不同刊物中先行發表的文章和專論集結而成。其中以刊登在英國出版的《經濟學人》（The Economist）者為多，其他刊物包括有：《公司雜誌》（Inc.）、《紅鯡魚雜誌》（Red Herring）、《外交事務季刊》（Foreign affairs Quarterly）、《大西洋月刊》（Atlantic Monthly）以及《哈佛商業評論》（Harvard Business Review）等著名刊物。杜拉克在書中說明，由於先行發表的緣故，這些文章可以獲得高品質和深入的「回饋」（feedback）。但是在本書中，它們仍然保持原始面貌，未經改動，因此也給予讀者一個機會用來判斷作者早先對情勢的研判是否正確。

如我們所知，在杜拉克長達六十年——自他在一九三九年那本《經濟人的末日》（The End of Economic Man）算起——的寫作生涯中，他曾經對人類社會，尤其企業和非營利組織發展，提出眾多的預言和建議。基本上，它們都獲得印證和兌現。如前，這位思想歷久彌新的大師又對於未來的社會發出他的先知看法，是不是也值得我們給予重視並加以認真思考呢？

（本文作者為中華民國管理科學學會理事長暨元智大學遠東管理講座教授）

推薦序四

下一個社會的新挑戰：I4K

湯明哲

在一般管理類的書中，常常看到下列的語句：「我們一定要擬定有效的策略來應付未來環境的變動」，「舊的策略不管用了，在新世紀一定要有新的作法」，「只要上下一心，共同打拼，前途一定光明」，雖然這些放諸四海皆準的原則永遠是對的，但只是「口號管理」，用處有限。問題是新的經營環境會有哪些變動？這些變動對企業的經營策略會有什麼影響？本書清楚指出下一個社會對管理人員的挑戰在於四個I一個K：國際化（Internationalization）、資訊化（Information）、創新（Innovation）、價值整合（Integration），以及知識工作者（Knowledge workers）：I^4K。

國際化的趨勢行之多年殆無疑問。在國際化的趨勢下，不僅是貨物在國際幾間流動，國際資金的流動更造成對各國政府政策的衝擊，在國際化的衝擊下，彼得・杜拉克對各國政策痛下針貶，他還引經據典，從歷史的觀點痛責各國官僚體系抗拒國際化的潮流，尤其對日本的官僚大肆批評，認為他們是日本陷入經濟泥潭的罪魁禍首。杜拉克對經歷金融風暴的亞洲各國也各有評論，平實而言，杜拉克比較看好韓國，事實

也證明如此。但對國際化下開發中國家企業應採取的作法卻少有著墨，還是以大型國際公司的觀點來論述。對於國際化造成富國愈富，貧國愈貧的現象，也視而不見。

在下個世紀，資訊化和網路化的趨勢更是顯而易見，杜拉克一直強調ＣＥＯ要會利用資訊，而不要被資訊所利用。不要只重視公司內部的資訊，要重視外部的資訊，因為重大的衝擊大都來自外部。在處理內部資訊時，資訊長和會計長應合而為一。他也正確指出網際網路的興起會對企業的經營模式造成震撼。不下於一百年前鐵路對企業經營的震撼。在網路經濟下，實體和虛擬的配合是最佳組合。但這些文章是在網際網路崩盤前所寫，經過這兩年的洗禮，對網際網路的憧憬應該加以修正。歷史證明，最重要的應用，都是在新發明問世十年後才實現。網際網路開始還不到十年，殺手級的應用方興未艾。

杜拉克學貫古今，論及創新對社會及企業的影響，可以從印刷術，騎兵，長弓，鐵路，輪船，一路演繹，歷史不斷重演，技術創新一定是下世紀的重頭戲。他認為有的企業會擴充，有的企業會把現有的價值鏈活動繼續改進（例如日本公司），有的企業會創新，只有會創新的企業才能長長久久。對於金融市場的創新和倫敦金融地位的重建，他也有獨到的見解，他認為倫敦的金融地位的興起是金融創新，衰落也是缺乏金融創新，再興起也是創新，金融市場不創新極難生存。對於投資銀行的自營業務更是

嗤之以鼻。對於我國金融業的發展有不少的啟示。

知識工作者會成為下一個世紀的主流，但和主流觀點相反的是杜拉克認為用股票選擇權「收買」知識工作者是愚蠢的作法，知識工作者希望將他們視為「夥伴」而不是只來賺錢的「員工」，而且因為有股票選擇權，公司的心思都集中在股價上，而不是在經營上，「錢去人來」只是暫時現象，價值觀，公司文化，和敬業態度才是留住知識工作者的不二法門。這和高科技公司的做法大相逕庭，

誰是誰非，仍有待更多研究證明。揆諸台灣高科技產業，有人認為其中從業人員像是遊牧民族，逐「選擇權」而居。對於經營者的確造成頭痛的問題。杜拉克的想法可能太過於理想。知識工作者興起的另一個影響是人力資源的外包。由於專業經濟（Economies of specialization），派遣人力在歐洲的大型企業逐漸興起。對於人力資源管理又造成新的問題。

在這些環境趨勢下，CEO的角色日趨複雜，從本書的觀點，人力資源可以外包，企業的資訊部門也可以外包給像IBM的資訊公司，因此有人戲稱資訊長是CIO（Career Is Over），財務部門可以外包給銀行，生產部門也可外包給供應商，行銷和研發的活動也可以用策略聯盟的方式處理，CEO的角色成為價值的整合者（Value Integrator），整和協調的管理功能會遠遠超過以往決策的功能。下個世紀所需要的又

是新型的CEO。

國內讀者對杜拉克並不陌生，承襲他過去的思路，本書將他過去四年所思所見構思的文章匯集成冊，其中跨越亞洲金融風暴和網際網路的狂熱和崩盤，讀者應先看文章寫出的年份，再將杜拉克的論點加以修正，一九九八年的文章對於亞洲國家有過於嚴厲的批評，二〇〇〇以前的文章對於網際網路又有過高的期望。

盡信書不如不讀書，杜拉克的論點仍然新奇犀利，仍然爭議不斷，讀者必須慎思明辨。

（本文作者為台灣大學推廣教育中心主任暨國際企業系教授）

作者序

我曾經相信過新經濟，當時是一九二九年，我在華爾街某大公司的歐洲總部當儲訓人員。我的上司是公司的歐洲經濟學家，深信華爾街熱潮會永遠持續下去，還寫了一本絕妙好書，希望證明買美國股票是快速致富萬無一失的不二法門。那時我還不到二十歲，是公司最小的儲訓人員，被上司指派當他的研究助理兼校對，還負責編纂索引。書在紐約股市崩盤前兩天出版，隨即消失得無影無蹤，幾天後，我的工作也步上同樣的下場。

因此七十年後，到了一九九〇年代中期，新經濟和股市熱潮永不止息的說法沸沸揚揚，我已經見怪不怪。當然一九九〇年代用的詞和二〇年代不同，當時我們談論的是「恆久的繁榮」，不是新經濟，但是，不同的只是名詞而已，其他一切，如論點、邏輯、預測、言詞等等，幾乎都相同。

但在大家暢談新經濟時，我開始察覺社會正在變化，一九九〇年代以來，變化愈來愈多，不但已開發國家出現根本上的變化，新興國家的變化甚至更厲害。資訊革命只是其中一個因素，甚至可能還不是最有影響力的因素。至少，人口因素同樣重要，尤其是已開發國家和新興國家出生率穩定下降，造成年輕人口數目、比重和家庭組成

速率快速降低。資訊革命只是發展一個多世紀的趨勢的最高潮，年輕人口萎縮卻是前所未有的徹底逆轉。另一個徹底逆轉的現象，就是提供財富與就業的製造業穩定衰退，在已開發國家裡，製造業已退居經濟邊陲，不過，卻也同時產生一個矛盾的現象，在政治上變得更為有力。除此之外，還有勞動力的轉變和分裂。

這些變化加上資訊革命對社會的衝擊，是本書的主題。這些變化已經出現，新社會已經到來，再也回不了頭了。

本書若干篇章探討傳統的「管理」問題，有些篇章並非如此，但沒有任何一章是在探討「萬靈丹」，本書不像一九八○和一九九○年代眾多的管理暢銷書，沒有那種號稱萬無一失的工具和技術。可是這本書的確是為經理人寫的，的確是跟管理有關，本書所有章節強調的論點是，面對這些創造新社會的重大變化，在未來十到十五年內，甚至可能在更長的時間內，會成為經理人的主要工作。這些變化會成為重大的威脅和機會，對每一個組織，不論是大是小，是營利還是非營利事業，是南北美、歐洲、亞洲還是澳洲的組織，都是如此。本書每一章節都在強調，社會變化對於一個組織和經理人的成敗，可能比經濟事件還重要。

從一九五○到一九九○年代的五十年裡，自由世界的企業和經理人，可以把社會狀況視為理所當然，經濟和科技上縱使有快速、重大的變化，但社會狀況大致上是既

定事實。經濟和科技一定會繼續變化，本書結論的部份、也就是第四篇的「未來狀況」，認定未來會出現重大的新科技，且其中大部分很可能跟資訊毫無關係，或者關係疏遠。但不管是營利事業還是非營利事業，是大企業還是小企業，經理人如果希望利用這些變化，並將之轉變成企業的機會，都必須瞭解新社會的實際狀況，而且必須以這些狀況為基礎，制定政策與策略。

本書的目的就是要協助經理人完成上述任務，在新社會中成功的進行管理。

本書所有篇章都是在二〇〇一年九月、美國遭到恐怖分子攻擊之前寫好的。除了第八章和第十五章之外，所有篇章實際上都是在二〇〇一年九月之前刊出的（每一章最後會註明刊出的年份），作者並未更新文章內容，除了一小部分略為刪節，更正文字錯誤之外（也有少數幾章把題目恢復成原來的題目），每一章都是照原貌刊出。明白的說，這表示一九九九年首次刊出的文章所說的「三年前」，指的是一九九六年，至於「三年後」，則是二〇〇二年，這樣也能讓讀者判斷，作者的預期或預測是否實現，還是已被否定。

二〇〇一年九月的恐怖分子攻擊，應該使這本書變得跟經理人關係更密切，而且時機更合宜，恐怖分子和美國的反應深刻改變了世界政治，未來很多年裡，我們顯然要面對世界性的混亂，尤其是中東的混亂，在這段我們一定會面對的不安和快速變化

的時期裡，你不能僅靠著聰明，就可以成功地管理。管理一個機構，不管是企業、大學還是醫院，都必須以可預測的基本趨勢為基礎，這些趨勢不會受到報紙頭條的影響，它會一直持續下去，你必須把這些趨勢當成機會來運用。這些基本趨勢包括新社會的出現，尤其是全球性年輕人口萎縮，以及新勞動力的出現；提供財富和就業的製造業穩定衰退；企業及高級經理人的形式、結構與功能的改變。在極度不確定、難以預測的意外事件經常發生的時候，即使根據這些基本趨勢來制定策略與政策，都不必然代表成功，但不這麼做，保證會失敗。

彼得・杜拉克識於加州克萊蒙（Claremont），二〇〇二年復活節。

第一部　資訊社會

MANAGING IN THE NEXT SOCIETY: BEYOND THE INFORMATION REVOLUTION

MANAGING IN THE NEXT SOCIETY: BEYOND THE INFORMATION REVOLUTION

第一章 資訊革命的未來

我們才剛剛開始感受到資訊革命真正的革命性衝擊，但是助長這種衝擊的不是「資訊」，不是「人工智慧」，不是電腦和資料處理對決策、政策或策略的影響，而是十到十五年前還沒有人預見或談論的電子商務。網際網路的爆炸性成長，使其成為世界性的流通管道，而且最後可能是唯一的流通管道，負責商品、服務甚至管理與專門職業的流通，這件事深刻地改變了經濟、市場、產業結構、產品與服務，以及隨之而來，對流通、消費者行為、就業和勞力市場的影響，不僅如此，其對社會與政治的衝擊更大，其中最嚴重的，則表現在我們看待世界，以及看待自己所處地位的方式。

同時毫無疑問的，預料不到的新產業會出現，其中一種已經出現了，就是生物科技產業，另一種則是養殖漁業，今後五十年，養殖漁業可能會使人類放棄海上捕撈，改為從事「海洋畜牧」，就像大約一萬年前，同樣的創新，使我們的祖先放棄陸上捕獵，變成農民和牧人。

其他新科技很可能會突然出現，催生重要的新產業，會有什麼新產業根本連猜都不可能猜到，但很可能、甚至幾乎可以確定，新產業很快就會出現，而同樣可以確定的是，很少新科技以及根據新科技而來的新產業，會源於電腦和資訊科技，它會像生物科技和養殖漁業一樣，從自己特有且難以預料的科技中出現。

當然，這只是預測，其背後的假設是：資訊革命的演變，會類似以一四五五年的

古騰堡（Gutenberg）印刷術革命為始，過去五百年來以科技為基礎的幾次革命，尤其是，假設資訊革命會像十八世紀末葉和十九世紀初葉的工業革命一樣。而資訊革命最初的五十年，正是如此。

鐵路

資訊革命現在的情況，就像一八二〇年代初期的工業革命，距離一七八五年瓦特（James Watt）改良的蒸汽機首次用在工業生產，也就是棉紡上，大約四十年（蒸汽機一七七六年首次裝設）。蒸汽機是革命的火花，它在第一次工業革命中的地位，正如電腦在資訊革命中的地位。然而，最重要的仍是革命的象徵，今天幾乎每個人都認為，經濟史上沒有任何一件事像資訊革命般，推展的這麼快速，影響這麼重大，但大家似乎忘了，工業革命在同樣的期間內，推展的速度至少一樣快，帶來的衝擊至少一樣大。工業革命在短短的時間裡，把絕大部分的製造程序機械化，首先開始生產十八世紀和十九世紀初葉最重要的工業產品，就是棉織品。摩爾定律（Moore's Law）認定：資訊革命的基礎元素——微晶片的價格每隔十八個月，會下跌百分之五十。第一次工業革命製程機械化的產品也是如此，十八世紀開始的五十年內，紡織品價格下跌了百

分之九十，同一段期間，光是在英國，棉織品的產量就至少增加了一百五十倍。雖然工業革命初期最顯眼的產品是紡織品，但它也幾乎把所有其他主要產品，例如紙張、玻璃、皮革和磚塊的生產完全機械化，工業革命的衝擊絕不限於消費產品，鋼鐵及鐵製品機械化的速度跟紡織品一樣快，在成本、價格和產量方面受到的影響也一樣，到拿破崙戰爭（Napoleonic Wars）結束時，整個歐洲槍炮的製造也改用蒸汽機驅動，速度比以前快十到二十倍，成本下降三分之二以上，這時惠特尼（Eli Whitney）同樣把美國毛瑟槍的製造機械化，創造了第一種大量生產的工業。

工廠和工人階級在這四、五十年間出現，但在一八二〇年代中期，即使在英國，兩者仍然少之又少，在統計上沒有意義，但他們已經開始主宰人心（很快的也主宰政治）。漢彌爾頓（Alexander Hamilton）早在一七九一年的製造業報告中，就預測美國會變成工業化國家，那時美國還沒有工廠，十年後的一八〇三年，法國經濟學家賽依（Jean-Baptiste Say）認為，工業革命創造了「企業家」，改變了整個經濟。

工業革命對社會的影響遠遠超越工廠和工人階級，正如歷史學家保羅・強森（Paul Johnson）在《美國民族史》（A History of the American People，一九九七年出版）一書中指出，以蒸汽機為基礎的紡織工業的爆炸性成長，是奴隸制度再度興起的原因，美國的開國先賢認為，奴隸制度已經瓦解，不料軋棉機迅速改由蒸汽機推動

後，卻使奴隸制度捲土重來，聲勢高漲，創造了低成本勞工的龐大需求，使蓄奴成為美國那幾十年內獲利最高的行業。

工業革命對家庭也有重大衝擊，核心家庭長久以來一直是生產單位，過去在田裡或工匠的作坊裡，丈夫、妻子和子女都是一起工作，而工廠這個歷史上首次出現的東西，卻把工人和工作移出家庭，移進工作場所，人們開始把家人丟在家裡，不論是成年勞工的配偶，還是早期童工的父母都是如此。

的確，家庭危機並非始於第二次世界大戰之後，它從工業革命就開始了，事實上，這是反對工業革命和工廠制度的人老套的憂慮（描寫工作和家庭分開對兩方面的影響的書籍當中，狄更斯（Charles Dickens）在一八五四年出版的小說《苦難時代》（Hard Times）很可能是最好的一本。）

雖然有這麼多影響，工業革命最初的五十年，也只是把原有東西的生產機械化，讓產量大大的增加，成本大大的降低，創造出消費者和消費產品，但產品本身是原來就有的，和過去相比，新工廠製造的產品只有一個地方不同，就是比較一致，除了不如早年優秀工匠的作品之外，新產品的缺陷比任何人做的都要少。

最初這五十年裡，只有一個重要的例外，那就是輪船。富爾頓（Robert Fulton）在一八〇七年製造出第一艘實用的輪船，之後三、四十年，輪船都沒有產生什麼重大

的影響，事實上，幾乎到十九世紀結束為止，海洋運輸多半靠的還是帆船，而非輪船。

接著，到了一八二九年，鐵路出現了。鐵路確實是前所未有的東西，永遠地改變了經濟、社會和政治。

事後回想，很難想像為什麼鐵路的發明要花這麼長的時間，在這之前，煤礦坑裡已長期採用具軌道的推車，照理，人們應該可以輕易想到在推車上加裝蒸汽機，不再需要由人推或馬拉。然而，鐵路並非起源於礦坑的推車，而是在相當獨立的情況下發展出來，且最初的目的不是要載貨，相反的，在很長的一段時間裡，鐵路被認為只是載人的工具，三十年後，鐵路才在美國變成運送貨物的工具（事實上，直到一八七〇和一八八〇年代，英國工程師受聘為剛西化的日本鋪設鐵路時，還是設計來載人的，因此一直到今天，日本的鐵路仍然不適於載貨。）但在第一條鐵路開始實際運作之前，根本沒有人預料到鐵路會出現。

然而在五年內，有史以來最龐大的熱潮——鐵路，就席捲西方，期間還夾雜著經濟史上最驚人的衰退，這股熱潮在歐洲持續了三十年，直到一八五〇年代末期為止，這時，大部分今天有的鐵路線都已完成。在美國，鐵路熱潮又另外延續了三十年，至於其他外圍地區，例如阿根廷、巴西、俄羅斯的亞洲部分和中國，這股熱潮則延續到

第一次世界大戰。

鐵路是工業革命中真正革命性的因素，因為鐵路不但創造了新的經濟領域，也快速改變了我所謂的「心智地理」（mental geography），人類有史以來第一次真正擁有移動能力，第一次擴大了一般人的天地。當時的人立刻瞭解人類的心理狀態出現根本的變化（女作家喬治·艾略特（George Eliot）在一八七一年出版的小說《米德鎮的春天》（Middlemarch），堪稱是描述工業革命轉型最好的著作，其中深入記錄了這種狀況。）

偉大的法國歷史學家布勞岱爾（Fernand Braudel）在他最後一本巨著《法國的認同》（The Identity of France，一九八六年出版）中指出，使法國變成一個國家和一個文化的東西是鐵路，在那之前，法國只是由眾多自給自足的區域合組而成，僅靠政治維持在一起。至於鐵路在創造美國西部所擔負的角色，在美國歷史中已是一種常識。

定型化

一九四〇年代中期出現的第一台電腦，開啟了資訊革命，到目前為止，資訊革命就像兩個世紀以前的工業革命，只改變了原本存在的程序。事實上，資訊革命真正的衝擊根本不是以資訊的形式表現出來，大家在四十年前預測的影響，幾乎沒有一件在

現實世界出現過，例如，企業或政府進行重大決策的方式幾乎沒有改變，但資訊革命確實使無數傳統的程序定型化。

鋼琴調音軟體把傳統上要花三個小時的程序，變成只要花二十五分鐘。薪水發放、庫存管理、交貨時程以及所有其他企業的例行程序，都有軟體可以使用，要畫出一棟大型建築，例如監獄或醫院的內部設施圖，以前大約需要二十五個技術高超的繪圖人員花上五十天，現在有了電腦程式，一位繪圖人員可以在幾天內做好這份工作，其成本只有過去的一小部分。軟體還協助大家報稅，教導住院醫師如何取出膽囊。今天在線上從事股票交易的人，所作所為跟一九二〇年代的投資客毫無差別，只是當時的人每天要在號子裡耗很多小時，而現在已逐步定型化，節省了大量的時間及成本。

資訊革命對心理的衝擊跟工業革命一樣龐大，其中對兒童學習方式的衝擊可能是最大的，今天的小孩從四歲開始、甚至更小的時候，就開始發展出電腦技巧，很快地超越比他們大的人，電腦是今日兒童的玩具和學習工具。五十年後，我們很可能會斷定，在二十世紀的最後幾年，根本沒有「美國教育危機」，只有二十世紀學校的教育方式和二十世紀末期的兒童學習方式之間，有日漸擴大的衝突，同樣的事情在十六世紀的大學裡也發生過，當時印刷機和活字版已經發明了一百年。

至於在工作方式方面，資訊革命到現在為止，只是把原有的事情定型化，唯一的

例外是光碟機（CD-ROM），它大約是二十年前發明的，準備用全新的方式，呈現歌劇、大學課程以及文字作品。光碟機也像輪船一樣沒有立刻風行。

電子商務的意義

電子商務在資訊革命中的地位，就像鐵路在工業革命中的地位一樣，是完全沒有前例、完全預料不到的全新發展，而且電子商務像一百七十年前的鐵路一樣，創造了明顯的新熱潮，迅速改變了經濟、社會和政治。

舉一個例子來說，美國中西部工業區有一家中型公司，是在一九二〇年代創立的，現在由創辦者的孫子經營，該公司主要在銷售廉價化學工業餐具，給方圓一百英里內的速食店、學校、辦公室餐廳和醫院，約占市場的百分之六十左右，瓷器餐具很重，又容易破裂，因此廉價瓷器餐具一向都在很小的範圍內銷售。後來，這家公司幾乎在一夜之內，喪失了一半以上的市場，因為某家醫院餐廳裡有個人上網瀏覽時，發現一家歐洲製造商提供的產品品質顯然比較好，價格比較低，而且用空運低價運送，幾個月之內，這個地區的主要顧客全都投向這家歐洲廠商，似乎很少人知道、也不在乎東西是從歐洲來的。

在鐵路創造的心智天地裡，人類掌握了距離，在電子商務的心智天地中，距離已經消失，只有一個經濟體，只有一個市場。

這種情況造成的結果之一是，每家企業都必須具有全球競爭力，即使企業只在本地或地區性市場中製造或銷售產品，競爭也不再是地區性的競爭，事實上，競爭已經沒有邊界，每家公司的經營都必須轉變成跨國式經營。不過，傳統的多國公司很可能會變成過去，以往，多國公司在一些明顯不同的地理區內進行生產和行銷活動時，它實際上是一家當地公司。但是，在電子商務中，既沒有當地公司，也沒有明顯的地理區，在哪裡製造、銷售，以及如何銷售，往後依然是企業的重要決定，但再過二十年，這些公司可能不再決定公司要做什麼、怎麼做以及在哪裡做。

同時我們仍不清楚，究竟電子商務能提供何種產品和服務，什麼東西不適合電子商務，當新的行銷通路出現時，經常是這樣。例如，為什麼鐵路改變了西方國家的心理和經濟視野，但是對世界貿易和人員運輸具有同樣影響力的輪船卻沒有呢？為什麼沒有「輪船熱潮」？

我們也不清楚，流通通路最近的變化會有什麼影響，例如，從本地雜貨店變成超級市場，從個別的超級市場變成連鎖超級市場，再從連鎖超級市場變成威名百貨（Wal-Mart）和其他折扣連鎖公司。我們只知道，轉變為電子商務，同樣會具有選擇性

且難以預測。

以下是一些例子。二十五年前，一般人認為在幾十年內，印刷文字會透過電子傳送到個別訂戶的電腦螢幕上，然後訂戶可以從電腦螢幕上看文字，或下載印出來看，這是唯讀光碟機發展的基礎，因此，很多報紙和雜誌，不只是美國的報紙和雜誌，紛紛建立線上服務，不過到目前為止，這種服務變成金礦的還很少。任何人若是在二十年前預測網路購書，一定會被別人笑掉大牙，但亞馬遜（Amazon.com）和邦諾（barnesandnoble.com）網路書店卻正在從事這樣的業務，並將之推展到世界各地。我最新的一本書《二十一世紀的管理挑戰》（Management Challenges for the 21st Century）在一九九九年出版，美國版的第一張訂單就來自亞馬遜，訂購者位於阿根廷。

再舉一個例子，十年前，一家主要的汽車公司針對當時剛剛出現的網際網路做了一次徹底的研究，預測網際網路對汽車銷售的衝擊，該公司斷定，網路會成為二手車的主要流通管道，但新車則不會，顧客仍希望看到、摸到車子，還要試車。然而事實上，至少到現在為止，大部分的二手車不是透過網際網路買賣，而是在二手車車商的車廠裡交易，而除了豪華車之外，高達一半的新車卻是透過網際網路買賣的，顧客在網路上選好車子，經銷商僅負責交車，這一點對本地汽車經銷商的未來，對這個二十世紀獲利最高的小企業來說有什麼意義？

再舉一個例子，一九九八和一九九九年美國股市狂熱時，交易者開始透過線上買賣，但現在利用電子交易的人數卻漸漸下降。美國的主要投資工具是共同基金，幾年前，幾乎一半的共同基金採用電子交易，估計明年這個數字會降到三五%，二〇〇五年則會降低到二〇%，這點和十到十五年前「人人預測的」情形正好相反。

美國電子商務成長最快的領域，是到現在為止沒有任何「商務」的領域，也就是專業人員和經理人的就業機會。世界的大型企業中，現在幾乎有一半透過網站徵求人才，大約有二百五十萬位經理人和專業人員（其中三分之二甚至不是工程師或電腦專業人員）把自己的履歷表放在網際網路上，並接受網路上提供的就業機會，結果創造出全新的勞力市場。

這一點說明了電子商務的另一個重要影響，新的通路改變了顧客的定義，不但改變了顧客的購買方式，也改變了顧客購買的東西，除此之外，還改變了顧客的行為、儲蓄、形態，以及產業結構，簡單的說，就是改變了整個經濟。這種情形正在出現，而且不只在美國出現，它已逐漸擴及其他工業國家及新興市場，包括中國大陸。

路德（Luther）、馬基維利（Machiavelli）和鮭魚

鐵路使工業革命變成既定事實，原本的革命已成為現狀，鐵路引發的熱潮延續了近一百年，蒸汽機科技在一八八〇和一八九〇年代催生了汽渦輪機，在一九二〇和一九三〇年代促成了最後一批備受火車迷喜愛的大型蒸汽火車頭。然而，蒸汽機科技不再是核心，科技的動力反而轉移到全新的產業，這些產業幾乎在鐵路發明之後立即出現，沒有一種產業跟蒸汽或蒸汽機有關。最先出現的是一八三〇年代的電報和攝影術，隨後不久，則出現了光學和農業設備，全新的肥料工業在一八三〇年代末期創立，並在很短的時間內改變了農業。公共衛生逐漸成為核心工業，配合檢疫、預防接種、純淨飲用水的供應和下水道，把城市變成有史以來比鄉村更適合人居住的地方，同時，第一批麻醉藥劑也出現了。

隨之而來的是新的社會機構：現代郵政服務、日報、投資銀行和商業銀行，這些還只是其中的一小部分，它們沒有一種跟蒸汽機或整個工業革命的科技有多少關係，但這些新產業和機構卻在一八五〇年以前，主宰了已開發國家的工業和經濟領域。

這一點很像印刷革命後的情形，印刷是創造現代世界的第一個科技革命。古騰堡經過多年的研究，在一四五五年發明了完善的印刷機和活字版，之後的五十年，印刷革命橫掃歐洲，徹底改變了歐洲的經濟和心理。不過，頭五十年裡出版的書籍，也就是所謂的「古版本」，跟「手抄本」沒有什麼不同，內容和僧侶千百年來孜孜不倦、用

手抄寫的內容相同，都是宗教書冊和倖存下來的古代作品。這五十年裡，一共出版了七千種書，三萬五千種版本，其中至少六千七百種是傳統書目。換句話說，發明印刷術之後的五十年裡，讓傳統資訊和通訊產品便於取得，價格也逐漸降低。大約在古騰堡發明印刷術之後六十年，出現了路德的德文聖經，成千上萬的聖經以難以置信的低價立刻銷售一空，它開啟了一個新社會，也開啟了新教運動。新教運動征服了半個歐洲，隨後的二十年裡，迫使天主教會自行改革，路德運用新的印刷媒體，刻意恢復宗教成為個人生活和社會的中心，這個作法引發了一個半世紀的宗教改革、宗教動亂和宗教戰爭。

路德利用印刷術公開宣揚振興基督教，在同一時間，馬基維利寫作和出版了《君王論》（The Prince，一五一三年），這是一千多年來第一本不包含聖經文字、也不提古代作家的西方書籍。《君王論》立刻成為十六世紀的「另一本暢銷書」，也成為當時最著名、最有影響力的書籍。在很短的時間內，出現了眾多純粹世俗作品，包括我們今天稱為文學的小說，以及科學、歷史、政治類書籍，不久之後，經濟類書籍也出現了。沒有多久，第一種純粹世俗的藝術形式，也就是現代劇場在英國興起，全新的社會制度也出現了，包括耶穌會、西班牙步兵以及現代海軍，最後則出現了主權國家。換句話說，印刷革命走的路線，和三百年後開始的工業革命，以及今天的資訊革命一

模一樣。

未來會有什麼新產業和新制度，現在還沒有人敢說，一五二〇年代的人們無法預見世俗文學，更不用說世俗戲劇了，一八二〇年代的人們也無法預料到電報、公共衛生或攝影術。

我要再說一遍，有一件事情即使不能確定，也可以說極有可能發生，就是未來二十年裡，會出現很多新產業，而幾乎可以確定的是，很少新產業會源於資訊科技、電腦、資料處理或網際網路。歷史已經指出這一點，新產業已迅速出現，前面提過生物科技以及養殖漁業即是一例。

二十五年前，鮭魚還是道難得的佳餚，當時的傳統晚餐僅有雞肉和牛肉兩種選擇，今天，鮭魚已經變成大宗商品，是傳統菜單中的另一選擇。現在大部分的鮭魚不是在海裡或河裡捕撈，而是在養殖場餵養，鱒魚也愈來愈接近這種情形，顯然，很快的很多其他魚類也會這樣，例如鯡魚在海鮮中的地位，就像豬肉在肉類裡一樣，剛剛要開始大規模生產。毫無疑問的，這會導致新的、不同的魚類發展出來，就像羊、牛和雞被人馴養後，促成新品種的出現一樣。

可能有十多種科技已經到達生物科技二十五年前的狀況，也就是說，它們即將出現。

還有一種服務等著降生，就是對抗外匯風險的保險，現在每家企業都是全球經濟的一部分，它們對保險的迫切需要，就像工業革命初期對抗實體風險，例如火災和水災的保險，傳統的保險就是這時出現的，現在外匯避險所需的一切知識都已完備，只缺制度本身而已。

未來二、三十年內，科技的變化可能比電腦出現後數十年的變化還大，而且產業結構、經濟領域、甚至社會形勢都會出現更重大的變化。

紳士與科技人才

鐵路發明後出現的新產業，在科技層面上，跟蒸汽機或工業革命沒有什麼關係，新產業不是蒸汽機的「骨肉」，而是蒸汽機「精神上的後代」，新產業會出現，完全是因為產業革命帶來的心態和技術，這是一種接受、甚至熱烈歡迎新發明的精神，是接受、甚至熱烈歡迎新產品和新服務的心態。

產業革命也創造了讓新產業能夠出現的社會價值觀，最重要的是，產業革命創造了「科技人才」。

美國第一位重要的科技人才經過很長的時間，都沒有獲得社會或財務上的成就，

惠特尼在一七九三年發明軋棉機和蒸汽機是產業革命勝利的焦點，但過了一個世代，自修上進的科技人員才變成美國的民族英雄，受到普遍尊敬，並在財務上得到報酬。發明電報的摩斯（Samuel Morse）可能是第一個例子，愛迪生（Thomas Edison）則成為著名人物。在歐洲，企業家長久以來都是比較低下的社會階級，但是到一八三〇年或一八四〇年，大學教育出來的工程師已經變成備受尊敬的「專家」。

到一八五〇年代，英國逐漸喪失優勢地位，在工業經濟方面開始被其他國家超越，首先是美國，接著是德國，一般認為，其原因不在經濟或科技方面，而是社會因素。在經濟上，尤其是金融方面，英國在第一次世界大戰前，一直維持強權地位，至於科技，英國也在整個十九世紀保持領先，第一種現代化學工業的合成染料是在英國發明的，汽渦輪機也是如此。然而，英國社會沒有接受科技人才，科技人才從來沒有變成「紳士」，英國在印度創辦了第一流的工程學校，但在本土幾乎沒有創設半所這類學校，沒有一個國家像英國這樣尊敬「科學家」，的確，整個十九世紀，英國人在物理學方面都維持領導地位，從馬克思威爾（Clerk Maxwell）、法拉第（Michael Faraday）到路德弗（Ernest Rutherford）都是英國人，但科技人才一直被視為「生意人」（例如一八五三年狄更斯在小說《廢屋》（Bleak House）中，就公開輕視新興的鋼鐵大亨）。

英國也沒有發展出創業投資家，這種人有能力也有意願，資助意想不到以及未經

證實的事業。創投是法國人發明的，巴爾扎克（Balzac）在一八四〇年代的巨著《人間喜劇》（La Comedie humaine）中首先描寫這群人，摩根（J. P.Morgan）則把創投制度引進美國，同時商業銀行也把這種制度引進德國和日本。英國人雖然發明且發展出商業銀行來融通貿易，但卻沒有融通產業的機構，直到第二次世界大戰前，才由兩位德國難民華寶（S.G.Warburg）和葛林菲德（Henry Grunfeld），在倫敦創設了企業銀行（entrepreneurial bank）。

賄賂知識工作者

到底需要什麼東西，才能防止美國變成二十一世紀的英國？我相信社會心態需要劇烈的改變，就像鐵路發明後，工業經濟的領袖必須從生意人變成「科技專才」或「工程師」一樣。

我們所說的資訊革命，其實是知識革命。把程序例行化的不是機械，電腦只不過是引信。以數個世紀的經驗為基礎的軟體，透過知識的應用，特別是有系統、合乎邏輯的分析，重新整頓傳統的工作。電子不是關鍵，重點是認知科學，這代表若要在未來的經濟和科技中維持領導地位，社會必須承認並接受知識專業人才的價值，如果繼

續把他們當成傳統的「員工」，就像英國把科技專才當生意人對待般，可能也會有相同的後果。

今日，我們正設法腳踏兩條船，繼續維持傳統的心態，把資金當成主要的資源，讓財務人員領軍，卻又同時賄賂知識工作者，給他們獎金和認股權，希望他們樂意繼續當員工。但這種作法即使有效，也只有股市繁榮時的新興工業行得通，就像過去的網際網路公司一樣。未來的主要工業會更像傳統產業，成長緩慢、艱難且辛苦。

產業革命初期的棉紡、鋼鐵、鐵路都是熱門工業，會在一夜之間創造出很多百萬富翁。就像巴爾扎克小說裡的創業投資銀行家，和狄更斯小說裡的鋼鐵大亨，會在幾年內從地位低下的僕人，變成「產業領袖」。一八三〇年以後出現的產業也創造了許多百萬富翁，不過卻要二十年之久，他們得經過二十年的辛苦、奮鬥、失望、失敗和克勤克儉。今後出現的產業可能也是這樣，生物科技產業已經出現這種情形了。

因此，賄賂這些知識工作者根本行不通，這些企業中的關鍵人員，一定希望在財務上分享努力的果實，但財務上的果實就算會成熟，大概也要花很多時間。在這種情況下，很可能在十年之內，以（短期）「股東價值」作為經營事業的首要目標和理由，即使不是唯一的目標和理由，都會引起反效果。這些以知識為基礎的新產業的績效，逐漸變成要看這類產業如何吸引、維持和激勵知識工作者而定，如果滿足知識工作者

貪慾的方式不再有效，就必須靠滿足他們的價值觀來達成目的，給予他們社會的肯定，把他們從下屬變成經理人，從員工變成合夥人，不管員工的待遇有多豐厚。

（一九九九年）

第二章 網路引爆的世界

MANAGING IN THE NEXT SOCIETY: BEYOND THE INFORMATION REVOLUTION

這篇專訪由《紅鯡魚雜誌》（Red Herring）投稿編輯馬克．威廉斯（Mark Williams）負責，地點在作者的加州克萊蒙辦公室。本文是作者根據訪問者的草稿，自行編輯、撰寫而成，並刊登於在二〇〇一年一月三十日的《紅鯡魚雜誌》。

《紅鯡魚雜誌》：你曾說過，給知識工作者認股權，等於是用一種貨幣賄賂他們，但這種貨幣在股市熱潮消退後，價值會減少。你認為這種方法是行不通的。

杜拉克：五年前，我告訴一些朋友和客戶，我們在這方面有很多經驗。財務誘因不能防止員工離職，反而會催促員工離開，因為當他們拿到這種獎金或認股權時，短期的財務利得就變成他們唯一的動機。

愈常利用這種方法的企業，員工的流動率愈高，有一陣子，國際商業機器公司（IBM）的「退除役官兵協會」規模是世界最大的，當然現在已經不是了，我遇到過的微軟（Microsoft）離職員工也多得驚人。更進一步來看，擁有最多離職員工的兩家公司是寶鹼和IBM，他們的離職員工都喜愛過去服務的公司，但微軟的離職員工卻痛恨微軟，因為他們覺得微軟只給他們一樣東西，就是鈔票，其他什麼都沒有，他們痛恨所有的風光都歸給最上層的人物，歸給最上層的一個人，他們卻沒有得到認同，而且他們覺得公司的價值體系完全財務取向，這些人自認為是專業人士，或許不是科學

家，但卻是實用科學家，因此他們的價值體系不同。

我最近跟一家高科技公司討論，過去五十年來，我看著這家公司從非常小的規模變成大公司——我說的是年營業額一百億美元的大公司。我在那裡停留一天，但在我去之前，高級經理人已經開了兩星期的會，焦點是如何留住知識員工，雖然他們的公司不在矽谷，可是員工流動率已經高得嚇人。在這次見面之前，他們照我的建議，請高級經理人去找離職的高級研究人員和技術人員，尋問他們離開的理由，得到的答案是，「每次我去找你們當中的一個人，你們談的就只有股價。」其中有一位說，「我在中國停留了六星期，跟三位主要客戶在一起，回國後，我去找國際技術服務部門的主管，我在那坐了一小時，想跟他討論我在中國觀察到的重大商機，但他只對我們的股票前一天跌了八美元有興趣。」

這點不好笑。在員工價值觀和他們對短期財務績效的關心之間，經營階層愈來愈需要取得平衡，只要股市繼續表現良好，這種問題就不會消失。如果你覺得我的話像年老的財務人員，沒錯，我正是如此。但我們相信，如果你發現交易量不是一般人買賣股票帶來的，而是交易者短期買賣股票造成的，那代表市場已經失去控制。

我知道你曾經在倫敦做過投資銀行家。

我六十三年前離開金融業，從此再也沒有對金融業感興趣。然而，任何有點知識

的人在六個月前就該知道，英特爾會陷入一段艱困時期，你必須在變化期投資，投資標的首先要有高風險，其次是需要若干年的時間等待回收。任何對金融市場有些瞭解的人都明白這個道理，可是英特爾一宣布災情，股價立刻完蛋，這是個不穩定的市場。

所以，你的意思是，公司不能再用認股權來激勵知識工作者嗎？

你聽過一句跟人力資源有關的格言吧？你不能只雇一隻手，你要把整個人都雇來，沒錯，你不能只雇一個人，總是要連他的配偶一起雇用，而配偶已經把認股權的錢花掉了。我不是在開玩笑，分紅、認股權和一些不能滿足期望的東西再危險不過了。

你是不是說過，重要的知識工作者必須成為完整的合夥人，而不只是股東？

對，我談的是我正在推廣的事情，而不是我還不確定的東西。在很多情況下，把高級專業人才視為獨立的承包商，還更有道理。

我們必須衡量知識工作者的生產力，你如何衡量？

首先要問更低階的知識工作者三個問題：你有什麼優點，對工作有什麼貢獻？公司對你應該有什麼期望，要花多少時間？你在工作上需要什麼資訊，你欠缺什麼資訊？

這點是我很多年前學會的，當時我替世界最大的一家製藥公司解決問題，新任執行長希望每個部門主管，能說明自己的部門有什麼貢獻。研究部門的主管說，「研究是不能用數字來衡量的。」於是我們就安排了一些會議，每次有十一到十三個人，深入探討研究部門，我問，「我們回想過去五年你們部門帶來了哪些成果，未來三年可能有什麼貢獻？」假設他們發現某種荷爾蒙的功能，改變了我們對胰臟功能的瞭解，但這一點可能要經過二十年才會變成產品，甚至還不一定會變成產品。在一九六〇年代初期，重要的貢獻一再消失，因為這些貢獻不符合市場，也不符合醫藥部門主管對公司的看法。我們必須改變這種作法，我們讓醫藥、行銷和製造部門的人，深入瞭解研究部門的狀況，結果五、六年內，他們運用研究成果的比率提高了一倍。

美國醫療保險業似乎陷入矛盾的困境，你有什麼看法？

美國的醫療保險業不比任何國家差，各國的醫療保險都破產了，然而它未來仍會成長，在二十年內，醫療保險和教育加起來，會占到國民生產毛額的百分之四十，它們現在至少已經占了三分之一。

此外，政府部門會把更多的服務外包，獲得清掃街道合約的是營利事業還是非營利事業，都不會有什麼差別，這不是市場經濟。如果允許我對貴雜誌及目前的電子商務公司發表意見，我會說，你們太注意商業層面了，我認為電子商務帶來的最大衝

擊，可能是在高等教育和醫療保險方面，它使合理整頓醫療保險事業成為可能，在目前的醫療保險需求中，百分之八十只需要一位執業護士適時地把病人轉介給醫師，其過程大致可運用資訊科技解決。

我曾跟方圓兩百英里內唯一的醫院合作，發現資訊科技可以改變這種醫院的程度，高得讓人驚奇，以居民三萬四千人的科羅拉多州大河口市（Grand Junction）為例，丹佛和鹽湖城是附近兩個比較大的城市，距離大河口各約兩百英里，現在大河口的醫院可以引進兩地的技術診斷病人，這解決了小醫院無法建立專科醫師中心的問題。

這是這家醫院唯一的問題嗎？就這個地區的人口來說，這家醫院可能賺錢嗎？

對大約一百萬人來說，大河口的醫院是最近的好醫院，我跟二十五家這類醫院合作過，它們多散布在西維吉尼亞州到奧勒岡州。資訊科技讓這些醫院可以和大城市的大學醫院一樣好，曾經有個病人有痙攣和暈眩的毛病，大河口的醫生說，這可能是甲狀腺問題，讓我們跟鹽湖城醫院的人談談，鹽湖城的專科醫師診斷出是甲狀腺的一個囊腫壓迫到頸動脈，這位醫生說，「我處理過幾個這樣的病例，但我在丹佛市的同僚更高明，用直升機把他送去那裡。」三天後，這位病人回到了大河口。

資訊科技在醫療保險方面，已經造成神奇的衝擊。至於教育方面，資訊科技的衝

擊更大，不過，試圖把普通的大學課程搬到網際網路上，是錯誤的作法，馬歇爾・麥克魯漢（Marshall McLuhan）說的很對，媒體不僅控制傳播方式，也控制傳播的內容。在網際網路上，你必須採用不同的方式。

怎麼會這樣？

你必須重新設計一切，首先，你必須保持學生的注意力，任何一位好老師都有一套探測系統以瞭解學生的反應，但在線上教學中沒有這種系統，其次，你必須讓學生做他們在大學課堂中不能做的事，也就是自由的來來去去。因此，從事線上教學時，你要把書本和課程的延續性、流動性結合在一起，最重要的是，你必須把課程放在一個環境中，大學提供了這種環境，線上課程也要提供背景、環境和參考工具。

線上教育在開發中國家的潛力如何？例如，印度政府已經開始推動一項計畫，要在每個鄉村裝設一台連線個人電腦，作為教育之用。

一九五〇年代初期，杜魯門總統派我到巴西遊說當地政府運用新科技，我告訴他們，可以在五年內不花任何成本就掃除文盲，但巴西的教師工會破壞了這項計畫。我們其實在很久以前就有消除文盲的科技。

我要指出一點，毛澤東政府的一個重大成就即是消除中國的文盲，他靠的不是新科技，而是一種古老的辦法，由識字的學生教導下一批學生。各國教師都會阻礙掃除

文盲的計劃，因為這威脅到他們獨占教育的權力。用年紀較大的學生教導較小的學生是最快的方法，中國人就是這樣做，有史以來，第一次大部分的中國人都能聽、能說普通話，你不能只靠文字統一國家，也要靠語言，雖然中國的識字率仍然只有百分之七十，但是毛澤東上臺時，只有百分之三十。

我們可以把新科技送到亞馬遜河流域最遙遠的村落，但我們會面對的障礙是，第一，教師的強力反對，他們認為自己遭到威脅；第二，不是每個第三世界國家都支持教育，我曾在哥倫比亞工作，協助創設卡里市（Cali）的山谷大學（Universidad del Valle），我們在那些種植咖啡的小城鎮碰到嚴重困難，因為當地父母希望小孩十一歲時就下田工作。

在印度，這也是個大問題，學校是促成平等的力量，這點在印度歐利薩省（Orissa）之類的地方，是個嚴重的障礙，那裡的上層階級會激烈反對讓下層階級的兒童入學。

我們回到醫療保險業吧，有些人堅持市場力量是萬靈丹，可以治好所有弊病，對毫無賺錢機會的鄉下醫院來說，這點是正確的嗎？

不對，市場力量不可能是醫療保險業弊病的萬靈丹。我擔任兩個全國性大型醫療保險體系的顧問，其中一家擔任了五十年，另一家則是三十年。美國醫療保險體系情

況特別惡劣的說法簡直是胡說八道，醫療保險業全都陷入徹底的混亂中，其中最差的是德國或日本。這是因為，醫療保險業都以一九〇〇年的事實為基礎。我前面說過，醫療保險體系百分之八十的需求都是例行問題，執業護士就能處理，但採用執業護士你要面對兩個問題，第一，你要確保護士不會超出自己的能力，因此你強調她應該往上轉介到醫學中心，而不是往下轉介。第二個問題是，執業護士沒有權威，無法改變任何人的生活方式。三千年來，我們已為醫師建立了神秘感，醫師和護士分別說你要減掉十五磅時，對你而言意義是不同的。

至於另外的百分之二十則需要現代醫療。順便一提，從抗生素發明以來，醫療的進步對壽命毫無影響，這些進步對一小群人來說是很神奇，但在統計上毫無意義。最大的變化是在勞動力，我出生時，九五%的人都從事勞力工作，其中大部分都很危險，會讓人衰弱，你聽過卡夫卡（FranzKafka）嗎？

當然。

你知道他是偉大的作家吧？但卡夫卡也發明了安全帽，他在工廠檢查和工人賠償方面是個重要人物。他是捷克共和國（一次世界大戰前，那裡被稱為波士尼亞和摩拉維亞）從前的工人賠償和工廠安全部門主管。我們的鄰居桂伯博士（Dr. Kuiper），是奧地利最高階的工人賠償和工廠安全主管，卡夫卡則是他的偶像，當卡夫卡因為結核

病，在維也納郊外垂垂待斃的時候，我們的鄰居每天早上，都會騎著腳踏車走兩小時的路，去看垂死的卡夫卡，然後再搭火車去上班。卡夫卡去世後，大家發現他也是作家時，沒有人比桂伯博士還震驚。我想卡夫卡曾經得到一九一二年的美國安全大會金牌獎，因為他的安全帽帶來良好的成果，在「現在的捷克共和國鋼鐵廠裡，每年因為工安死亡的人首次降到千分之二十五以下。」

你知道麻省的藍十字（Blue Cross）和藍盾（Blue Shield），為管理新英格蘭兩百五十萬人的保險事宜所雇用的人手，跟加拿大為管理二千七百萬人保險事宜雇用的人一樣多嗎？

知道，不過這樣並不正確，你是在比較……

比較蘋果和柳橙嗎？

不，是蘋果和水瀨。加拿大的系統不管理醫療保險，它只支付固定的費率。美國醫療保險系統現在做的事，加拿大還沒做，他們不告訴醫生該做什麼，只說你這樣做，在安大略可以得到多少錢，在薩絲卡奇灣（Saskatchewan）可以得到多少錢。藍十字機構，尤其在麻省，正設法變成管理機構（Health Management Organization），提供醫療保險，而不僅是支付醫療保險費用。加拿大的系統不管理醫療保險，它管理成本。

美國的醫療保險何去何從？

我這樣說好了，如果我們聽艾森豪總統的話，他希望每個人都有災害保險，我們就應該不會有醫療保險問題。你可能不知道，扼殺這個構想的是聯合汽車工會（UAW）。在一九五〇年代，工會仍然能夠承諾的福利，是公司支付的醫療保險，但根據艾森豪總統的原則，每個人的醫療保險支出若超過個人應稅所得的百分之十，政府會支付超過的部分，這麼一來，公司支付的醫療保險費用就會取消了。因此聯合汽車工會在美國醫師公會的協助下，扼殺了這個構想。當然，有力量的並非美國醫師公會，而是聯合汽車工會。

你談過人口變化，說未來四十年裡，已開發國家的老人會比較多，而開發中國家的年輕人會比較多。你是否擔心，在老人主導的世界裡，年輕人要怎麼辦？

這樣說吧，除了美國之外，已開發國家裡的年輕人數目已經急遽減少，十五到十八年內，美國也會開始減少。從西元一七〇〇年以來，我們一直都對人口成長，且底部人口成長速度會超過頂端的情形心照不宣，因此目前這種狀況可說是史無前例的，我們還不知道它的意義何在。

有些跡象可以做為指引，我們知道在中國的沿海城市，中產階級只准生一個小孩，他們花在這個小孩身上的錢，遠超過過去花在四個小孩身上的，這些小孩都被寵

壞了，在美國也是這樣，現在十歲小孩想要的東西，在我的年代簡直不敢想像。

而且你提到年輕人，在已開發國家裡，年輕人的意思大部分是指移民，而非小孩，不論是到南加州的墨西哥人、到西班牙的奈及利亞人、還是到德國的烏克蘭人，都是年輕人，這群人的平均年齡介於十八至二十八歲，他們在教養方面代表沈重的資本投資，沒有獲得適當的教育，我們不知道這點表現出何種意義。是極為龐大的額外生產力量，還是特別龐大的額外教育支出需求，我們不知道，我們從未碰過這種情形。

但是有一點可以預測，今天的青年文化不會永遠持續下去，古人已經指出：流行文化是由成長最快速的年齡層創造的，這個年齡層不會是年輕人。

今天我們用十美元就可以買到一隻手錶，比公司從前送給退休員工的鐘錶可靠、耐用。汽車業者日漸改良設計，因此汽車變得比較安全，也比較可靠，同樣的趨勢很明顯。愈來愈多的產業受這種趨勢主導，公司要如何競爭？

我跟客戶得到一個簡單的假設，你不能以製造業公司的身分生存下去，你必須變成以流通為基礎的知識公司，在製造方面，你的確無法做出有區隔的產品。

汽車工業很有意思，和三十年前的價格相比，汽車今天的價格便宜了百分之四十，然而，很多顧客已經改開休旅車。若考慮到通貨膨脹及知識的相對購買力，這些

人支付的車價或許比三十年前少不了多少。製造品的價格經過通貨膨脹調整後，比甘迺迪時代下降了百分之四十，但兩種主要的知識產品，也就是教育與醫療保險的成本，卻膨脹了三倍。事實上，製造品的相對購買力可能只有四十年前的四分之一，唯一的例外是汽車工業，它靠著購買較昂貴新車的顧客補貼，然而，雖然一大部分的人口購買這種車子，他們開這些車子的時間也比以前長多了，這些車子只是短期利潤中心。

長期又是如何？過去百分之四十的美國購車民眾，每隔兩年就買一部新車，現在在我們學院的經理人進修計畫課程外的停車場裡，沒有一部車的車齡低於五年，因此，汽車公司可以以製造業公司的身分繼續生存，只是產品沒有區隔。不錯，一個百分點的市場占有率不知到底有多少價值，然而你是從別人手中奪來的，而就整個汽車產業來說，沒有一家公司可以賺的更多。

因此，你必須變成以資料庫知識為基礎的流通公司，這是個重大的變化，可以跟第一次世界大戰後農業的變化相比，農產品的產量增加的很快，但其占國民生產毛額的比率卻很快地下降，就業人口也快速萎縮。製造業再也無法增加價值，價值來自知識和流通。

大蕭條時期的美國，知識分子大都站在集體意識形態那邊，只有你力排眾議，認

為企業可以成為「組織和完成社會任務的地方」，但是，今天我們看到的一些事件，像西雅圖的示威，顯示馬克思主義者對維多利亞時期資本主義的批評，仍然影響了很多人看待企業的態度，有什麼東西可能改變這種情形？

我這樣說吧，我有理由相信，這些大雜燴的示威群眾是烏合之眾，沒有共通點，也不會產生多少影響。我們不會推行世界性的自由貿易制度，製造業的衰退會迫使政府改採保護主義，就像從第二次世界大戰以後，農業和就業每萎縮百分之一，所有已開發國家的農業補貼就增加百分之二。我認為製造業也會發生同樣的情形，我們在產品和服務方面不會變成自由市場，自由市場其實指的是資訊的自由市場。在產品和服務方面，尤其是產品方面，保護主義會逐漸抬頭，就業機會愈少，保護主義就會愈厲害，我們的農業已經歷過這種情形，製造業未來也是如此。

墨西哥新任總統福克斯（FOX）說得很對，他認為我們愈快把墨西哥融入北美經濟愈好，你不可能期望根據昨天出口導向的發展，來發展經濟。墨西哥出生率的下降速度超過任何一個國家，達生育年齡的婦女從先前的生四、五個小孩，降至不到兩個，十年內很可能會再降至不到一個，但是現在有數目極為龐大的人口年滿二十歲，他們都是二十年前，嬰兒死亡率急遽下降、出生率很高的時候出生的，他們只有一個選擇，是要在南加州當待遇低落的工人，還是在墨西哥當待遇更低的工人？我想我們

只有一個選擇。

福克斯先生絕對正確，他認為北美地區就像歐洲的經濟共同體，不僅在農業方面受到保護和高度補貼，製造業也逐漸變成這樣。順便一提，這對日本人來說是最大的威脅，因為一旦東亞經濟區出現，中國就會握有主導地位。

因此，抗議全球化的人，其痛苦是有一點道理的，只是，他們抗議錯了對象。美國過去三十年之所以在各地推廣自由貿易政策，是站在它於大多數地區都擁有競爭優勢的前提上。美國因其知識基礎，的確擁有這種優勢，但你不能把這點視為理所當然。我不會說美國已經受到威脅，但有充分的理由相信，其他地區會趕上來。

未來，你會看到地區性的保護主義，也會看到反全球化的壓力逐漸增加。你到過印尼嗎？所有的污染管制法律印尼一應俱全，但是那裡的污染卻嚴重到令人難以置信，峇里島已經被污染摧毀，如果你出口污染，就會有更大的壓力要你控制污染。

移民也成為各國重要的政治問題，當然，這些抗議者不是後馬克思主義者，不過其中有些人以前是馬克思主義者。

這些人難道不就是尋找焦點的富家子弟嗎？

到目前為止，這些抗議者還沒有焦點，他們只是抗議體制，不管體制的意義是什麼。

美國已經歷重大轉變，從勞力密集變成資本密集，到目前為此，這種情形彌補了製造品損失的相對購買力，但它會延續多久，我不知道。

但是在世界各地，藍領工人喪失的東西比所得還重要，工人喪失了地位，因此他們抗議全球化，他們認為全球化就代表就業機會流失。天啊，絕對不是這樣！流失的就業機會少之又少，太少了，一點也不好笑！實際的情況是，國內的就業機會已經徹底改變。

我們會看到更多這一類的抗議，他們攻擊的是昨天的目標，卻是因為今天的痛苦才出來攻擊。

（二〇〇一年）

第三章 從電腦識字率到資訊識字率

據我們所知，第一次管理研討會是由德國郵政總局召開的，時間是一八八二年，研討會只邀請各地郵局的局長參加，主題是如何不怕使用電話，結果沒有人出席，受邀者都覺得受到侮辱，他們完全不能接受自己必須使用電話的想法，電話是給下級員工用的。

一九六〇年代，我跟IBM合作，在準備教經理人使用電腦時，想到這個故事。當時我們當中，有些人已經瞭解到，電腦不只是另一種新奇玩意兒，而是會大幅改變、甚至根本改變產業結構和企業經營方法的東西。資訊會成為主要的生產力要素。IBM的董事長小華森（Tom Watson Jr.）想到這個好點子，他認為我們應該召集執行長來開會，討論「電腦識字率」。事實上，我們就是在這個時候，創造這個名詞的。

然而，我立刻說服小華森放棄這個絕妙點子，我告訴他德國郵政總局的故事，「你跟他們的處境相同，沒有人會來參加，對他們來說，這太奇怪了。」

二十五或三十年前，要舉行這種研討會的確不可能，三十年後，這種研討會會變得沒必要。因為今天的執行長會被他們的孫輩取代。

如果你認識這一代的人，又有十到十三歲的小孩，那麼你對我去看么女和外孫時所看到的事情，也許不會覺得驚訝。我外孫十三歲，很優秀，現在已經不再迷電腦，

他說，電腦除了用來作平行處理很好之外，已經是小孩玩的東西了，但你還是可以說他仍關心電腦，他會告訴我，「外公，老爸的電腦已經趕不上時代水準了。」

是笑話嗎？我女婿是物理學教授，主管現有最大的兩個非軍用電腦設施中的一個，但我外孫說得很對。

等這一代長大，接管我們的工作後，我們不會再談什麼電腦識字率，就像我們不會再討論怎樣才不怕電話一樣，我五歲的外孫女會打電話到世界各地，實際上她也這樣打電話。

我外孫當然不是唯一精通電腦的人，在美國，他這一代全都精通電腦。這是美國領先世界各國的地方，電腦識字率在日本才剛剛開始，在歐洲則連聽都沒聽過，內人的侄兒和甥兒住在德國，他們的小孩完全不懂電腦，雖然小孩的父母都是科學家，也都使用電腦，但是對他們來說，應該讓九、十歲的小孩熟悉電腦的這種想法，還是新奇得很。

即使我們在這方面領先各國，但我們其實還未達到應有的程度，我們為了自衛，必須瞭解電腦，十到十五年後，我們不但會把瞭解電腦視為理所當然，也會逐漸瞭解資訊。

這點現在還很少人做得到。

大部分的執行長仍然認為，找出執行長需要的資訊是資訊長的責任，這當然是錯誤的觀念，資訊長是製造工具的人，執行長則是使用工具的人。

讓我說明一下，我最近打算修理客廳裡過度鬆垮的沙發，這個沙發我三年前就該修理了，我到五金店裡，問老闆哪一種整修家具的鐵鎚最合用。我不會問他我應不應該修理沙發，這是我該下的決定，我只找他買適當的工具，而他負責把工具賣給我。

幾年前我裝傳真機的時候，曾找來電話工人，替我拉新的線路，他很熱心，四處看了看，然後對我說，「你可能選錯了地方，我認為放那邊會不方便。為什麼不放這裡？我可以輕鬆地幫你在這裡拉一條線。」但是他不會告訴我應該發傳真給什麼人，也不會告訴我內容應該寫什麼，這是我的工作，他的工作是給我工具。

執行長必須承認，如果電腦是工具，決定如何利用是使用者的責任，他們必須學著承擔「資訊責任」。這表示執行長要問：自己需要什麼資訊？向誰索取？用什麼方式得到？什麼時候拿到？還有，我欠誰什麼資訊？這種資訊的形式是什麼？什麼時候應該交給他？不幸的是，大部分人仍然期望資訊長或其他技術專才來解答這些問題，這是行不通的。

我在克萊蒙的一個小小研究所教書，大約十二年前，我們希望蓋一棟電腦大樓，在籌募資金的時候，我們打敗了史丹佛大學和耶魯大學，獲得企業大量的捐款，因為

我們在提案中說，「這所學校在十年後不會存在，如果我們做得有一半好，這棟大樓會變得沒有必要，十年內會有電腦工程師，會有設計軟體的人，但是在管理研究所裡，電腦科學不會再成為單獨的學科。」

我們拿到這麼多錢，完全是因為我們說，在十到十五年內，我們再也不必花這麼多時間，來培養製造工具的技術人員。我們當然需要技術人員，但是使用工具的人會知道如何運用工具，製造工具很重要，但卻是一種純粹技術性的工作。

第一步是承擔資訊責任，也就是問要完成目前的工作，我需要什麼資訊？用什麼方式得到？然後，資訊專家可以說你不能用這種方式得到，不能用那種方式得到，答案不很重要，這是技術性的答案。最重要的是基本問題，我什麼時候需要資訊？從誰手中拿到資訊？以及，我欠缺什麼資訊？

我們正根據資訊改造組織結構，執行長談到消除管理階層時，會開始運用資訊，以作為結構中的一種因素，我們經常很快就會發現，大部分的管理階層根本沒有在管理，他們只是把從企業結構最頂端和最下層傳來、已經變得微弱的訊號放大。我想大部分執行長都聽過資訊理論的第一法則：每一次轉介都會使噪音加倍，訊息減半。大部分的管理階層也是如此，這群人既不管理人員，也不做決定，他們只當中繼站。如果我們把資訊變成結構因素之一，就不需要這些階層。

可是這樣會產生很多重大問題，例如我們到哪裡找晉升的機會？願意只擁有兩、三個階層的企業很少，執行長能夠接受「層級愈多代表組織不佳」的觀念嗎？這違反了一個基本規則，很少人能夠在二十六、七歲前，升到管理的職位，你必須在一個職位上工作五年，不但要學習工作內容，也要證明自己的能力，可是你必須夠年輕，才能被人考慮在五十歲之前擔任高級管理職位。光是這樣，就會讓你的公司有三個管理階層。

如果你看看今天和昨天的通用汽車（General Motors），你就會發現通用已經略為精簡。通用以前有二十九個階層，這表示沒有人會在兩百十一歲之前，被人認真的考慮接任最高級的管理職位，這點顯然是通用公司的問題之一。

晉升機會要從哪裡來？我們如何獎勵和肯定員工？我們如何讓員工做好準備，擔任功能上並不狹隘的工作？

這些都是重大挑戰，我們還不知道答案，我們只知道我們要比過去多付很多錢，金錢會比過去重要的多。過去三十年裡，我們經常用頭銜來取代金錢，我們過去迅速地提升員工的頭銜，但薪水增加的很少，這種情形已經結束。

遠比這點重要的是程序的變化，我們學會把資訊當成一種工具後，就知道資訊的用途是什麼，我們需要什麼資訊，什麼形式的資訊，何時需要，從哪裡得到資訊之類

的問題。你一檢討這些問題，就會知道你需要的資訊是什麼，真正重要的資訊的確不能從資訊系統中得到，你的資訊系統只會給你內部資訊，但只看一家企業的內部資訊是不會有成果的。

很多很多年前，我創造了「利潤中心」這個名詞，今天我對這一點慚愧之至，因為在一家企業內部，其實並沒有利潤中心，只有成本中心。利潤只能從外界取得，當顧客不斷下訂單，且他的支票不會跳票的話，你才有利潤中心，如果不是這樣，你就只有成本中心。

我們談到全球經濟時，我希望沒有任何人會認為全球經濟可以管理，全球經濟的確不能管理，因為其中沒有資訊。但是，如果你從事的是醫院這一行，你會認得醫院，如果你空降在一個陌生的地方，在山谷裡向燈光摸索前進，到了醫院的建築，你會認出那是醫院。我可以跟你保證，即使是在內蒙古，你也會知道自己到了醫院，你不會把它誤認成學校，不會誤認成餐廳。

要是有人告訴我他在世界經濟裡營運，我會立刻賣掉這家公司的股票，你不可能在你毫無所知的地方營運，我們根本沒有任何資訊，你不可能什麼都知道，你只能知道你已經知道的。這就是為什麼未來企業的焦點會變得很狹隘。

除非你擁有資訊，否則多角經營行不通。而如果來自大阪的競爭毫無預警，那你就沒有資訊。我們擁有的外界資訊、市場資訊和顧客資訊少之又少。很多人經過一番痛苦後才學到，沒有任何事的變化速度比流通管道的變化還快，如果你得拿到報告後才行動，就太晚了。

科技本身提供了完美的說明，現在不是十九世紀，甚至不是二十世紀，當年你可以假設：跟你所屬產業有關的科技和影響這個產業的科技，都是從你所屬的產業中出現。

時間已經推翻了設立大型研究機構的基本理念，ＩＢＭ的研究機構可能是最後一所，以後不會再有這樣的機構。真正影響電腦和電腦工業的大部分東西，都不是從ＩＢＭ研究機構出來的，那些從ＩＢＭ研究機構出來的絕妙點子，ＩＢＭ大都不能把它們用在自己的事業裡，貝爾實驗室（Bell Labs）是這樣，製藥廠的實驗機構也如此。

科技不再像十九世紀般，是一系列平行的河流，支持現有的不同學門。現在科技變成了亂流，處在混亂的狀況中，因此科技必須來自外界，然而我們對外界毫無所知。

例如，如果你們是一家製藥廠，任何機械儀器或程序，例如心律調整器或血管迴路，都會讓你們落入萬劫不復的境地，你可能擁有世界最好的實驗室，但你這一行的

變動不會來自你的實驗室，因為你的實驗室是以內部為焦點，你的資訊系統也是如此。

事實上，我們正在嘗試靠一隻翅膀飛行，也就是靠內部資訊的翅膀飛行，重大的挑戰不是取得更多或更好的內部資訊，而是增加外界資訊。

舉個例子，大部分人相信美國有貿易逆差，然而他們大都是錯的，卻不自知。十八世紀初年，貿易帳的觀念會發展出來，是有一個聰明人靈光一現的結果，但這個觀念只限於商品貿易，報告的數字也僅限於商品貿易。

雖然今天美國有商品貿易赤字，但它也有龐大的服務業貿易剩餘，官方的數字是，服務業貿易剩餘等於商品赤字的三分之二。可是實際數字可能大多了，因為真正的服務業貿易數字根本不存在。

例如美國大約有五十萬個外國學生，每個學生至少帶壹萬五千美元進來，因此美國從這些外國學生手裡，得到大約到七、八十億美元的外匯收入，這筆帳根本沒有報告。我相信我們實際上，在整體商品與服務貿易可能有剩餘，只是金額很小，這些數字沒有統計，只存在觀念中。

我們的最大挑戰還是在獲取這類外界資訊，以便做出最佳決定。這點跟國內市場、顧客和流通系統的變化有關，也跟科技與競爭有關，這些都會讓你喪失業務。心

律調整器出現後，獲利最高的心臟病藥品市場在五年內完全消失，一直到市場消失之後，大家才不問發生了什麼事。

我們需要也必須學習外界資訊，但是這一點很複雜，因為大部分企業擁有兩套資訊系統，一套以資料系統為中心，另一套的歷史就悠久多了，它是以會計系統為中心。而會計系統是有五百年歷史的資訊系統，情況十分糟糕，未來二十年內，我們在資訊科技上會看到的變化，比起在會計上看到的變化，根本是小巫見大巫。

我們在製造業成本會計上，已經開始看到變化，這種成本會計起源於一九二〇年代，現在已經完全過時，但是這種情形只發生在製造業上，沒有發生在服務業上。今天製造業占美國國民生產毛額的百分之二十三，大約占就業人口的百分之十六，因此大部分的美國企業中沒有任何有價值的會計。

服務業的會計問題則很簡單，不管是百貨公司、大學還是醫院，我們知道有多少錢流進來，多少錢流出去，我們甚至知道錢流到哪裡，但是我們無法在支出和成果間建立關係，沒有人知道該怎麼辦。

現在這兩套系統各自獨立，到了我們孫子這一輩，就不會各自獨立了。今天的執行長仍然依賴會計模式，我不知道有哪一家企業在做決策時是根據資料處理流量，每

個人的決定都還是以會計模式為基礎，雖然我們大部分人都知道這種模式多麼容易被玩弄。

我們知道什麼地方可以相信，什麼地方不能相信，我們經常掉進陷阱，已經知道如何避開陷阱。我們學會依賴現金流量，因為任何一位會計系二年級的學生都可以玩弄損益表。到下一代，大家比較熟悉資料處理流量後，我們就能把這兩個部門合併在一起，至少可以讓它們相通，今天，這兩個部門還不相通，我們在大學裡仍分別教授這兩門學科。

我們有會計系，也有電腦系，但彼此不溝通，這兩個系一般都是由對資訊毫無所知的人擔任系主任。負責會計部門的人瞭解政府規定，負責資訊處理部門的人提供硬體，但是兩個人都不瞭解資訊。

我們必須把兩個部門合併在一起，只是還不知道怎麼做。我猜想未來十年內，所有的中、大型企業，會將今天只有一個人負責的職務，分擔給兩個人做。公司會有一位財務長，不管理任何人，只管理資金，其中最重要的任務是管理外匯，今天的外匯管理已經很難，未來會更困難。公司還會有一位資訊長，負責管理資訊系統。這兩個人公司都需要，而他們看待事物和業務的方式會大不相同。

不過，這兩個人當中，沒有一個人會專注企業生產財富的產能，或專注於明日的

決定，兩個人都重視已經發生的事情，而不是重視可能發生、或我們可以「催生」的事情。

未來，我們必須讓自己和公司通曉資訊，這會是個艱鉅的任務。這個任務要從個人開始，我們必須成為使用工具的人，我們要把資訊當成完成特定任務的工具，現在很少人這麼做（以這種方式利用資訊的人大部分不在企業界，而是在軍方。）

我們第二個重要的任務是利用資訊處理能力，以瞭解外界發生的事情。現有的資訊通常很貧乏，可靠性值得懷疑，唯一擁有這類資訊的是日本的大商社，他們擁有外界的資訊（他們對巴西的瞭解令人驚異），但是，他們花了四十年的時間和巨額資金，才得到這些資訊。

對大部分執行長來說，最重要的資訊不是跟顧客有關的資訊，而是跟非顧客的人有關的資訊，後面這群人才是會發生變化的地方。

我們來看看一個瀕臨危險的業種，就是美國的百貨公司，沒有人比這些百貨公司更瞭解他們的顧客，一直到一九八〇年代，他們都努力保有自己的顧客，但他們卻對這群顧客以外的人一無所知。他們佔有美國百分之二十八的零售市場，是佔有率最高的集團，然而，這點也表示百分之七十二的人不在百貨公司購物，百貨公司不瞭解、甚至可能也不在意這群人。因此，他們不知道新顧客，尤其是有錢的新顧客，並不在

百貨公司購物，沒有人知道原因，他們就是不到百貨公司購物。可怕的是，到一九八〇年代結束時，這些新顧客已經變成主要的影響團體，開始決定美國人如何購物，但是沒有任何一位百貨業者看出這一點，因為他們一直只看自己的顧客，經過一段時間後，他們對愈來愈少的顧客瞭解得愈來愈多。

我們必須開始組織來自外界的資訊，真正的利潤中心存在於外界，我們必須建立一個系統，把這種資訊傳給做決定的人，我們必須把會計和資料處理系統整合起來，很少人有興趣做這件事，我們才剛剛起步。

如果你不通曉電腦，不要期望組織裡的人尊敬你，你公司裡的年輕人把通曉電腦視為理所當然，他們期望上司至少也是如此。如果我告訴我五歲的外孫女，說我害怕電話，她絕對不會尊敬我，她甚至不相信我。

時代會改變，我們必須隨著時代改變，我們已有進步，從擁有最低水準的電腦知識，只知道最粗淺的東西和電腦上的乘法表，進步到可以用電腦真正做些事情。在未來的歲月裡，這種情形會令人興奮，並構成挑戰。

我們剛剛進入這條河，而這條河的流速會很快。

（一九九八年）

第四章 電子商務是最重大的挑戰

MANAGING IN THE NEXT SOCIETY: BEYOND THE INFORMATION REVOLUTION

傳統的多國公司早晚會被電子商務消滅，電子商務負責運送產品、服務、修理、零件和維護，它需要不同的組織、不同的心態、不同的高階經理人，以及對績效的不同定義。的確是這樣，衡量績效的方法會改變。

今天，在大部分的企業裡，交貨被認為是一種「支援」功能，是由職員負責的例行公事，除非出了什麼重大錯誤，否則交貨會被視為理所當然。但是在電子商務中，交貨會成為企業可以真正和別人產生區隔的地方，會變成重要的「核心競爭力」。交貨的速度、品質和反應能力很可能會成為決定性的競爭因素，即使在品牌似乎根深蒂固的地方，也是如此。可是現有的多國公司中，沒有一家是根據這種狀況來架構公司組織，整體來說，也很少企業是這樣組織的，甚至很少人想到這種方式。

一八二九年發明的鐵路讓人類掌握了距離，這點可以說明為什麼和工業革命的任何其他發明相比，鐵路對每個國家的經濟和勞動力都造成更重大的改變，鐵路改變了人類的心態、視野和「心智天地」。

電子商務不只掌握了距離，還消除了距離，在電子商務中，賣方沒有理由一定要設在特定的地方，事實上，顧客一般都不知道，也不在乎電子商務的賣方設在哪裡。電子商務的賣方，例如今日最大的書商亞馬遜網路書店，也不知道、不在乎訂單從哪裡來。

如果購買的東西是電子資訊，例如軟體程式或股市交易，就沒有交貨的問題，「產品」本身畢竟只是電腦記憶體中的一項記錄，產品在法律上存在，但實體上並不存在（然而，這種電子交貨的交易卻有很大的稅務問題，讓全世界的稅務主管機關頭痛，聰明的主管機關會放棄這類稅收，不聰明的主管機關則會設計出毫無意義的管制法令。）

如果購買的東西是書籍，交貨還不是什麼大問題，書籍很容易運送，價值和重量的比率也很高，而且不用多麻煩，就可以穿越各國的邊界，通過海關。但是拖拉機就不同了，它必須被送到顧客所在的地方，既不能用電子方式交貨，也不能小包送貨。

報紙和雜誌之類的印刷資訊媒體似乎也需要交貨，至少到目前為止，所有嘗試發行網路版，讓訂戶在電腦螢幕上閱讀或下載來看的媒體，都沒有很成功，訂戶還是希望報紙被送到門口。

網路上的醫療和檢驗結果愈來愈多，但實際上跟治病有關的一切，從醫師的檢查到手術、開藥和身體復健，都要到病人所在的地方。所有的售後服務，不論是實體產品，如機器或自行車的維修服務，還是銀行貸款之類非實體產品的服務，也都必須送到客戶所在的地方。

用電子郵件賣車

但是在同樣的時間裡，任何企業和機構如果能安排好交貨，就可以在任何地方經營，而不必實際設立在那個地方。

舉個例子，今天美國成長最快的企業，是一家名為汽車直銷公司（CarsDirect.com）、利用電子郵件銷售新小客車的公司。這家公司設在洛杉磯郊區，一九九九年元月才設立，到當年七月，已經變成美國二十家最大的汽車經銷商之一，在美國四十個州經營，每月賣出一千部汽車。這家公司之所以成功，並不是因為價格比較便宜，也不是擁有特別高明的賣車技巧，事實上，在這些地方，汽車直銷公司仍然遠遠落後於歷史較悠久、規模較大的線上汽車經銷商，如電話購車公司（Autobytel.com）或微軟的子公司汽車據點（CarPoint.com）。汽車直銷公司跟競爭者最大的不同，是它擁有獨特的交貨系統，它和全美一千一百家傳統經銷商簽約，負責把公司賣出的車子交給當地的買主，而且還附帶保證交貨日期和品質管制服務。

在企業對企業電子商務中，交貨一樣重要，甚至可能更重要，而所有的跡象都顯示，企業對企業電子商務的成長速度，會比電子零售商務的成長速度還快，在跨國交

易方面的成長速度甚至更快。

在企業史上，電子商務首次把銷售和購買分開。對企業來說，收到訂單與貨款之後，銷售就結束了，但是，產品必須送到買主手中，而且實際上讓買主滿意之後，購買才算結束，因此，從事電子商務必須中央集權，但送貨這部分卻要徹底的地方分權，交貨的過程必須地方化，而且要十分詳細和精確。

除此之外，電子商務也把製造與銷售分開。在電子商務中，我們現在所知道的「生產」會變成採購，任何從事電子商務的機構絕對沒有理由劃地自限，也就是只行銷和銷售一家廠商的產品或品牌。

事實上，就像亞馬遜公司和汽車直銷公司的例子一樣，電子商務的強大優勢正是可以提供顧客全方位的產品，不管產品是由哪家公司製造。但是在傳統的企業結構裡，銷售仍被視為附屬於生產，業務的安排也是如此，或者就像成本中心，只「銷售自己製造的東西」。未來電子商務公司銷售的東西，會變成「所有能夠交貨的東西」。

（二〇〇〇年）

第五章 新經濟還未出現

這篇專訪由《商業2.0》（Business 2.0）總編輯詹姆斯・戴理（James Daly）負責，專訪地點在作者的加州克萊蒙辦公室，本文是根據作者指定的主題和專訪者的問題，由作者自行編輯專訪者的草稿，寫成最後的文字，刊在二〇〇〇年四月十二日的《商業2.0》雜誌上。

《商業2.0》：很多新的網路公司正在掙扎求生存，他們什麼地方做錯了？

杜拉克：我認為他們什麼都沒有做錯，只是沒有做對半件事情。那個只要自稱網路公司，就自動得到一大堆錢的時代，很可能已經過去了。這些網路創業明牌中，很多根本不是新創企業，只是股票市場的賭博，就算他們真有事業計畫，也只是為了要推動初次公開承銷，或是被人收購，而不是要創立一番事業。有時候，今天企業經理人的貪婪讓我相當驚駭。

現在退出這一團亂局是否已經太晚？

可能吧。很多網路公司愈來愈難取得創業投資基金，我曾經跟一位年紀較大的財務人員合作，他說過，承諾在五年內獲利的任何新創企業，都是騙局，但是，任何新創企業不能在一年半內，創造正向的現金流量，也是騙局。這種說法今天看來可能太傳統了，有些網路新創企業要花很長的時間才有利潤，這沒什麼問題，亞馬遜公司就

是典型的例子，我並不擔心這一點。但是，最後會有正向的現金流量的新創網路公司很少，這不是在創立和經營事業。

很多新創企業會辯稱，他們只是在土地還便宜的時候購買土地，換句話說，他們今天會花很多錢，爭取「心靈占有率」（mind share），之後心靈占有率會變成市場占有率，最後則會變成未來的獲利能力。

好，但是你只能靠現金流量來支持心靈占有率。一九二〇年代的人，會用一模一樣的話來辯解，只是當時還沒有心靈占有率這個名詞，市場占有率也還沒有出現，這些名詞都是新的，不過，幻想或承諾則是舊的，出現在所有的熱潮中。一般說來，投機熱潮會領先十年，然後，真正的業務才開始成長。在現代經濟中，第一個大規模的投機熱潮是鐵路，一八三〇年代，英國發生龐大的鐵路熱潮，結果造成一八四〇年代初期很多最好的公司崩潰，然後，大家才積極鋪設鐵路。美國在南北戰爭後也出現同樣的情形，美國的鐵路熱潮在一八五〇年代發生，但是一直到南北戰爭之後，大家才積極鋪設跨越美國的鐵路，鐵路業才開始獲利。

你認為這種熱潮領先十年的時間表現在還適用嗎？你認為還要花十年，才能看到新經濟的真正優勝者出現？

對。任何新產業的新公司都必須承諾：你會買回你花掉的每一分錢。但是，如果

沒有現金流量，你就得依靠不斷流入的新投資資金。如果你不能把你所謂的心靈占有率轉變成市場占有率，你就只能依靠股市獲利，而不是依靠事業利潤，而這種方法的風險非常、非常高，即使股市出現最小幅度的下跌，你都會受到特別嚴重的傷害。

如果這麼多新的網路公司是股市賭博，地位穩固的老公司如何？他們線上業務的際遇如何？

包括我自己在內，我們都嚴重低估老公司快速適應環境，並成為領導企業的能力。我舉一個例子，四年前，我告訴一家大型汽車公司，說他們必須上網際網路，他們禮貌的聽我說，意思就是他們沒有拿石頭砸我，但他們認為我絕對是瘋了。現在，這家公司已經創設一個網路採購合作社，正在跟另外至少兩家、很可能是四、五家大型汽車公司合作，這個採購合作社會變成世界性的競標市場，他們也積極的推展這種業務。不過，他們花了四年時間，而且仍然只注重自己的品牌，並不像其他網路公司一般推展多品牌，雙方都還需要互相學習。

成為多品牌機構很重要嗎？

極為重要，假若你是福特公司，你只會上網賣福特汽車給福特經銷商，然而，如果你是一家網路公司，你會銷售每一種牌子，並為每一種品牌找到經銷商。這就讓網路司獲得極大的優勢，但這種優勢只能持續很短的時間。我不知道現在有哪一家大型

汽車公司，會瞭解自己的行銷力量能使公司成為所有品牌的經銷商，尤其是經銷數量不大的品牌。據我所知，他們正在努力推動這種事情，再給他們半年的時間吧，他們在這方面有嚴重的內部問題要處理，跟經銷商的問題，跟自己人的問題，都必須克服。

網路公司有沒有新的成功法則？

這點超過了我所能回答的能力了，大大的超過了，我不知道它跟傳統的法則有什麼不同。在股市評價方面，有一個很好的舊理論，就是根據未來收益，評估股票的現值，這很有道理，尤其是針對長期，而用在網路熱潮中也很貼切，在這股熱潮中，大家可以根據預期的資本利得來評估股價。公司債的價值降低時，預期的未來盈餘就會更重要，地位穩固的企業——不見得只有大公司——會擁有極大的優勢，因為他們的資金成本低太多了。如果你的資金成本是根據驚人的股市漲幅計算，若預期的漲幅下降，那麼實際上，你的資金成本會變得很高。話雖如此，我仍然相信我們迫切需要新的經濟規則。

例如什麼？你評估網路公司時最重視哪些數字？

我的看法不重要，重要的是，潛在投資人會用不同的方式來看這些公司，這是很清楚的。

你覺得未來的企業會長什麼樣子?

什麼企業?哪一種企業?有趣的是,網際網路對非營利事業的衝擊,會遠超過對營利事業的衝擊,對高等教育的衝擊尤其重大。你的基本資源,也就是腦力的成本迅速上升,已經變得十分昂貴。精通技術又有創新能力的人已經貴得讓人難以相信,他們如果維持獨立工作者的身分,而不是替某家企業工作,就可以賺到想賺的大錢,不管公司給他何種認股權,都是這樣。

網路對高等教育的衝擊,幾乎可以確定會遠超過它對任何企業的衝擊。有史以來第一次,知識工作者的壽命會超過聘用人才的組織,今天你必須擁有很多知識,而且是高度專業的知識,因此,高等教育的重心已經轉變,從年輕人的教育轉到成年人的進修教育。過去企業採用的技術變化很慢,我的姓杜拉克(Drucker)是荷蘭文,意思是「印刷商」,我的祖先從一五一〇年左右到一七五〇年,在阿姆斯特丹當印刷商,在這整個期間裡,他們不必學任何新技術,在十九世紀以前,印刷術的所有基本創新都已經在十六世紀初完成。蘇格拉底曾當過石匠,如果他死而復生,到採石場工作,他只要花大約六小時的時間,就能趕上現在的技術水準,這方面的工具和產品都沒有變化。

這樣持續不斷的追求進修教育,會影響公司的結構嗎?

幾乎可以確定會，我們今天所知道的公司，大都已有一百二十年的歷史，未來二十五年內，這種公司不可能生存下去，它們在法律和財務上可以繼續生存，但是，在結構和經濟上不會繼續生存。

今天的公司結構是以不同的管理層級為中心，這些層級大部分是資訊中繼站，就像所有中繼站，它們的功能很差，每轉介一次資訊，就會把訊息減掉一半。未來，需要的管理層級會很少，負責轉介資訊的層級必須很聰明。知識過時的速度經常快得讓人難以相信，未來三十年內，成人的專業進修教育會成為成長最快的產業，但不是以傳統的方式成長。五年內，我們會把大部分的經理人管理課程上網，網路可以結合課堂和書本的優點，看書時，你隨時能回到第十六頁，但在課堂上不能，不過課堂會有實際的呈現，而網路上兩種都有。

很多年前，你定出創新的「五要」和「三不」，如果今天讓你制定創新的規則，你會訂出什麼東西？

今天，你需要的組織是領導改變的組織，不只是創新的組織。五年前，跟創造力有關的著作非常多，但大部分的創造只是更有系統的辛苦工作。十五年前，每家公司都想成為創新公司，但除非你是「領導改變」的公司，否則你不會具有創新的心態。創新是一種有系統的作法，是很難預測的東西。比如說，你的褲子上有拉鏈吧？

上次我看的時候，有。

沒有鈕扣吧？

沒有。

如果你看看拉鏈的發明，就會發現這件事完全不合理。拉鏈在服裝工業裡根本不可能成功，當初發明拉鏈，是為了在港口把裝重物的袋子，例如裝穀物的袋子，封起來。沒有人想到用在衣服上，市場已超乎發明人的預期。這種情形一再發生，拿破崙戰爭之後的第一場重大戰役是一八五四年的克里米亞戰爭，這場戰爭傷亡慘重，發展出能夠在戰場上使用的麻醉藥變得很重要。大家最先發明的東西中，有一種叫做古柯鹼，理論上，古柯鹼應該不會讓人上癮，每個人都開始用這種東西，連佛洛依德都使用，但是，這種東西會讓人上癮，因此必須放棄。大約在一九〇五年時，一個德國人發明了第一種不會讓人上癮的麻醉劑，叫做新古柯鹼（novocaine），發明者用了人生中的最後二十年，設法讓大家使用，結果，這東西被用在什麼地方？用在牙科上，發明者不敢相信他的偉大發明居然用在牙縫這麼平凡的地方。市場幾乎都不是發明人所想像的地方。

所有的新發明當中，符合發明人期望的不超過百分之十到十五，另外百分之十五到百分之三十就算不是失敗，也沒有成功。五年後，大家會說，這種東西是很好的專

用產品，你知道這句話的意思吧？意思是你必須把東西裹在包裝紙裡送人。至於剩下的百分之六十，頂多只是為舊有的東西作註解。時機也很重要，一種創新可能現在不成功，但十年後，別人做出類似的東西，卻大受歡迎。有時，策略比創新更重要，問題是，你很少有第二次的機會。

你認為組織應該參與創造性毀滅的過程，就像克來頓・克里斯汀生（Clayton M.Christensen）在《創新的兩難》中所描述的那樣嗎？

絕對應該，但這種過程必須持續不斷，必須很有組織。讓我舉一家曾經合作過的公司做例子，這家公司的規模相當大，在其專業領域裡，是世界性的領導公司。在這家公司裡，每隔三個月就有一群人，一些比較年輕資淺的人，但絕對不是同一批人，會坐下來研究公司一部分的產品、服務、程序或政策，然後提出問題：如果我們不是已經這樣做，我們現在還會這樣做嗎？如果答案是否定的，問題就變成：我們現在應該怎麼做？每隔四、五年，這家公司就會有系統地放棄或修改每種產品和程序，尤其是修改公司的服務，這是這家公司成長和獲利的絕招。

一家公司應該要能消除公司的垃圾，人體會自動這樣做，但在企業體裡，就會碰到龐大的阻力，拋棄不是這麼容易做到的，且不要低估拋棄可能造成的影響，拋棄對員工和組織都會造成重大的衝擊。有時候，所謂的改善甚至會變成新產品，我所知道

的人和公司當中，就有百分之七十的創新來自略為修改的既有產品。我所知道最好的例子，很可能是奇異醫療電子公司（GE Medical Electronics），這家公司是世界領袖，但該公司的產品沒有多少來自創新，大部分是來自改善。

你對微軟的反托拉斯審判有什麼看法？

反托拉斯是美國律師的最愛，但是對我沒有用處，任何獨占事業的確都會壓制新進競爭者，但是我不怕獨占事業，因為獨占事業最後都會崩潰。希臘歷史家修西迪底斯（Thucydides）一千多年前寫道，霸權會摧毀自己，霸權總是會變得傲慢，總是會變得過於自負，總是會促使其他國家團結起來以對抗霸權，反對力量總會興起，霸權系統自我摧毀的力量很大，會變得具有防禦性和高傲自大，而且是防衛昨天，霸權會摧毀自己，因此，歷史上擁有獨占力量的組織，生存期間都不長。

對舊有的獨占事業來說，最好的事情是被拆散，如果反托拉斯沒有迫使IBM放棄打孔卡，IBM絕對不會變成電腦巨人。洛克菲勒（Rockefeller）家族碰到最美好的事情就是被拆散，他原本跟煤油緊緊結合在一起，認為汽油只是一種流行。在標準石油公司（Standard Oil）被拆散的時候，公司已經開始走下坡，之後的新公司，如德士古石油公司（Texaco），轉以日漸壯大的汽車市場為目標，成長一帆風順。五年後，洛克菲勒的財產是被迫拆散前的十倍。

因此，我認為微軟公司能夠碰到的最好事情，是把公司拆成幾家，我想，比爾．蓋茲（Bill Gates）不會同意我的說法，不過，當年洛克菲勒先生也不同意這種說法。洛克菲勒為了避免標準石油被拆散，奮戰到最後一分鐘。美國電話電報公司（AT&T）也奮戰到情形顯然已經沒有希望的時候，IBM和老華森也是如此。我跟老華森很熟，不是把IBM變成大公司的小華森，而是他父親老華森，他早在一九二九年就預見到電腦，但是一旦他的打孔卡業務遭到威脅，他卻盡一切力量扼殺電腦。反托拉斯訴訟讓他心愛的兒子們有機會勸老頭收山，他們都是我的客戶，也是我的朋友。

你寫過一本有影響力的書，叫做《不連續的年代》（The Age of Discontinuity），在這個加速改變的時代，如果要你重寫這本書，你要寫些什麼？

我不知道，這本書我已經三十年沒看了，我不看自己的舊書，我寫新書。但是我會大大的強調人口問題，大大的強調全球化，大大的強調網際網路，尤其是企業對企業電子商務，你無法預測新經濟或新社會長什麼樣子，但是你可以看出一些趨勢和一些東西，我相信你可以預測。

過去四、五十年，經濟是主導力量，未來二十到三十年裡，社會問題會變成主導力量，高齡人口迅速成長，比較年輕的人口逐漸萎縮，這表示會出現社會問題。

因為製造業的進步，生產會呈等比級數的增加，但是，製造業的就業機會正在消

失，藍領工人的就業機會，以及製造業占國民生產毛額的比率都在下降。第二次世界大戰結束時，美國農業仍雇用百分之二十五的勞動力，生產值占國民生產毛額大約百分之二十，現在已經降到百分之三到百分之五。製造業多少也在走同樣的路子，只是可能不會下降的這麼快，如果你把製造品的價格換算成固定幣值，從一九六〇年以來，製造品的價格每年至少下降百分之一到百分之二。

在這個劇烈變化的時代，如何才能成功的管理？

只看重短期的誘惑力很大，卻很危險。經理人必須學習的一件事，就是要在短期和長期間求取平衡，可是很少人學到這一點。奇異公司執行長傑克．威爾許（Jack Welch）獨一無二的成就，就是發展出一些工具，讓他既可以注意短期的財務績效，我說的不是半年，而是三年，也強調長期培養員工。你可以把這一點叫做「心智力量策略」，這件事對奇異來說相當容易，因為奇異公司在一九二〇年代，就發展出建全且現代化的財務策略，而在一九三〇年代，它是少數最先發展出人力資源策略的公司，這一切都是奇異的傳統。威爾許把這類權衡，當成公司最重要的事務，我敢說，他每個月都拿到旗下一百六十七家企業的月報表，但是他提前七年，就開始做人力投資。

如何把轉變變成優勢？

要注意每一種變化，深入觀察每一扇窗戶，並自問：這扇窗戶可能是機會之窗

嗎？這種新東西是真正的變化，或只是一時流行？其中的差別很簡單，大家做的事情是變化，大家談論的事情是流行。我有個老朋友，是一家大機構的重要人物，我想他被人譴責為從不改變任何事情，他的公司生意興隆、非常成功，他曾說，買一本談論變化的書籍，遠比改變任何事便宜多了。你也必須自問，這種轉變、這種變化是機會還是威脅，如果你一開始就把變化當威脅，你永遠不會創新，不要只因為什麼東西不在你的計畫裡，就排斥這種東西，意外經常是創新最好的來源。

要記住這一點，對特定企業來說，很多轉變可能毫無意義，但對其他企業來說，卻可能有特別的意義，而對我們來說，又完全沒有意義。這些轉變不會改變我們的市場、顧客與科技，甚至大部分都只是別人在研討會上討論的東西，並不適合我們使用。我可能看到一些相關報導，如果有意思，我就會在上面貼一張貼紙，叫所有的員工研讀，並深入討論，而我會記住它，或許五年後，我會因此而做某些事情，這份報告成為我工具袋裡的一部分。你得注意每一扇窗戶。

你認為網路公司的前途如何？

我認為現在猜測電子商務的未來還太早，你永遠不知道新的流通管道會如何變化，流通的東西是什麼，顧客的價值觀會怎麼轉變。電子商務只需在全部消費者業務中，占到相當小的一部分（當然也可能占去相當大的一部分），就足以產生深遠的影

響，迫使現有的流通管道急遽改變。

我認為很可能出現一種系統，利用電子商務銷售，然後在實際的地點交貨。這種情形已經在日本迅速發展，伊藤榮堂（ItoYokado）很可能是今天世界最大的零售商，他們擁有的企業包括日本已達一萬家的7-Eleven超商，他們逐漸跟各式各樣的供應商來往，顧客在線上購買，然後到最近的7-Eleven超商提貨。電子商務的核心問題是交貨。

貨物必須送到當地，如果你賣的是書，這一點相當容易，書籍的價值與重量比很高，除了鑽石之外，幾乎沒有一種商品像書籍的比率這麼高，書籍很容易運送，雖然可能損壞，其實卻相當牢固。世界各地的書籍運送成本都被人為壓低，得到龐大的補貼，在美國，郵局寄書的成本可能是收費的四倍，因此，書籍很容易這樣賣，但是拖拉機就沒有這麼容易了，容易腐壞的商品更是毫無希望。所以我會說很可能出現一種系統，從事線上銷售，卻在實體的地點交貨。日本的7-Eleven超商，線上交貨系統已經占這家連鎖超商大約百分之四十的營業額，7-Eleven不必花任何成本就可以得到佣金，所以，我認為這是可能的發展之一。其他的變化也很深遠，從歷史來看，權力中心移轉到流通業手中已經有五十年了，然而現在這種情形會加速擴大很多倍，有多少製造業工廠會生存下來？不會很多。到目前為止，流通業已經濫用了這種權力，流通

業者已經擁有品牌，反觀大型製造業公司，卻只有少數幾家在消費者市場中，擁有真正有力量的品牌。

至於其他方面，產品的設計、製造、行銷和服務會變成不同的企業，這些企業很可能接受相同的財務控制，但基本上，會被當成不同的企業來經營。福特（Ford）被視為製造業，但是他們製造的東西很少，他們只是組裝，這點嚴重背離了大量生產的觀念，因此，變化很深遠，且會延續很久，我們才剛開始瞭解這一切所代表的意義而已。

（二〇〇〇年）

第六章 新千禧年的執行長

MANAGING IN THE NEXT SOCIETY: BEYOND THE INFORMATION REVOLUTION

我們都記得，幾年前大家紛紛討論著「取消階級」，我們似乎該變成一群龐大且快樂的組員，同舟共濟。但是到目前為止，這種事情沒有發生，短期內也不會出現，原因很簡單，船要沈下去的時候，你不會叫大家來開會，你會下命令。一定要有一個人說，「夠了，就這樣辦。」若沒有決策者，你永遠不會做出決策。此外，隨著企業機構愈來愈複雜，不論在科技、經濟還是社會上都是這樣，我們比以前更需要知道最後的權威是誰，因此，我不討論最高經理人的消失和削弱，我希望把重點放在我們所面臨的新挑戰。

如果看看今後十五年執行長的地位，我想，可以看出五個很明顯的重點，這五點息息相關，卻也彼此獨立。這五點是什麼？對經理人的生涯會有什麼影響？

治理（governance）的改變

我絕對確定在今後十五年內，治理公司的方式會跟今天大不相同，我敢這麼肯定，是因為我在企業的股東結構中看到了根本變化，而這種情形必然會跟治理的變化同時出現。

今天，財務考量會變成決定股東利益的最重要因素，在已開發國家尤其如此。我

們可以拿美國人口老化做為例子，美國人口現在逐漸老化，因此，擔心未來財力的人愈來愈多，於是提高了退休基金（pension funds）的重要性，這種資金如何投資、在哪裡投資，會變成重要的問題，並影響企業的股東結構和關切要點。我認為可以合理的說，機構投資人成為決定性股東已是不可改變的事實。

這對公司治理有什麼意義？對執行長有什麼意義？未來，公司會面臨一個重大的挑戰，就是教育這些新股東，我曾經指出，很多新股東都是財務人員，我曾是證券分析師，以我的經驗，要讓財務人員瞭解業務，幾乎是不可能的事。我不是開玩笑，財務人員不必在兩種經常對立的因素間，求取平衡，不必處理短期和長期、連續與變化、改善今天與創造明天之類的對立問題。企業領袖每天都在跟這些問題對抗，知道其中包含了多少掙扎，但財務人員很少瞭解這一點。當然這些新股東有他們自己要處理的問題和壓力，美國退休金制度及公司利潤，只是其中的一部分問題而已。

未來執行長最重要的工作，是根據自己企業的特定狀況，徹底思考這一點，提出一些方法，在兩者之間求取合理的平衡。經理人如果在求取企業平衡間有些經驗，通常會發現，如果他們做好必須做的事，他們的感覺會相當好，即使這種工作不是這麼容易，即使他們可能犯錯，也是如此。最嚴重的錯誤是設法迴避治理的問題，我知道有很多人都設法逃避這個問題，他們躲在錯誤的護身符之後，也就是躲在「我們是為

了股東的短期利益在經營這個公司」的說法之後。

我認為這種情況已經結束，今天的領袖必須接受一個事實，昨天道瓊工業指數（Dow Jones Industrial Average）表現的股東利益，不是他們經營公司時應該遵循的東西。未年十五年內，需要面對和轉變的東西不只是公司治理而已，也包括相關的觀念和工具，而且不會只在美國，今天，沒有任何國家可以宣稱，自己在公司治理方面已經成功。德國的公司治理不會比較高明，日本也不見得就做得比較好，世界各國的股東結構都出現根本、劇烈和持久的變化。

很多經理人已經開始處理公司治理的問題，他們發現這並不容易，但也不是不可能的任務，而還沒有面對這種挑戰的經理人會發現，未來十年內他們別無選擇，只能這麼做。

面對資訊的新方法

我們活在資訊革命中的說法，已經聽過無數次，而這種說法的確是實情。四十年前，電腦首次出現的時候，大部分人認為它只是非常快速的計算器，我們當中只有少數人更嚴肅的看待電腦，認為電腦是處理資訊的新方法，我們相信，在二、三十年

內，新資訊會改變經營企業的方式。

但是到目前為止，大概除了軍方之外，新資訊能力實際上對我們經營企業的方式，幾乎沒有任何衝擊，而所謂的重大衝擊，其實只表現在我們經營業務的方式上。

舉兩個例子，我孫子剛剛完成建築師的入門訓練，他最近拿一種軟體給我看，他用這種軟體來完成自己的論文，也就是為一家大型建築公司做一個計畫，這家公司投標設計某個新監獄的取暖、燈光和水電工程，我孫子拿給我看的軟體，可以在一瞬間做好過去要一百個人做的工作。同時，在醫學院和教學醫院裡，虛擬實境的技術為外科醫師的訓練，提供新且有效的方法。過去，外科醫生要到住院醫師的最後一年，才能實際看到外科手術，在此之前，他們只看到主刀醫師的背部，然而，今天年輕的外科醫師可以靠著虛擬實境的技術進行練習，而不會危及病人，這是很重要的。

對企業界來說，資訊科技已形成明顯的衝擊，但是到目前為止，衝擊只表現在實體因素中，沒有表現在策略和創新之類的無形因素上。因此，對執行長來說，新資訊對他如何做決定毫無影響。這種情形必須改變。

我們以大多數執行長熟悉的兩種處境為例。今天每家公司都有一位財務長，會計部門要向他報告，這是我們最古老的資訊系統。會計在很多方面都已經過時，但企業仍舊迷戀它，因為這是他們瞭解、熟悉的東西。同樣的，很多公司有一位資訊長，負

責管理資訊系統，它通常是一套極為昂貴的電腦系統。

這兩個長都瞭解資料，卻不知道資訊的一個好處。在十五年內，兩個長都會被放在一位經理人之下，兩種工作也會不同。會計方面已經出現自一九二〇年代以來的最重大變化，包括以業務活動為基礎的會計，以及經濟鏈會計（economic-chain accounting）等等。我們正在改變基本的記錄方式，以便配合目前的經濟現實，這點是在設計會計學時，沒有被考慮到的。同時，我們把會計跟生產資料的能力合而為一，所以，你會擁有一套看來大不相同的資訊系統，而這套系統無法提供執行長迫切需要的資訊，也就是跟外部狀況有關的資訊。

在我的事業生涯中，我所犯過的最大錯誤之一，是在一九四五年左右，創造出利潤中心這個名詞。事實上，在企業內部只有成本中心，唯一的利潤中心是支票沒有跳票的顧客，我們對外界其實一無所知。即使你是某個產業中的領導公司，購買該種產品或服務的人，大部分也都不是你的顧客。舉例而言，如果你占有百分之三十的市場，你就算是產業巨人了，但這同時表示，百分之七十的顧客不買你的產品或服務，而我們對他們毫無所知。

這些不是顧客的人特別重要，因為他們代表一種資訊來源，可以協助你評估會影響你們這種產業的變化，怎麼會這樣呢？如果你看看過去四十年內重要的產業變化，

你會發現，所有變化都是在現有的市場、產品或科技之外發生的，無論從事哪一行，高級經理人都得在公司以外的地方，花更多時間。毫無疑問的，要認識不是你們顧客的人並不容易，但這是你擴大知識的唯一方法。我認識一個在日本成功建立事業的人，他主張在接觸之前，得先研究日本史。身為美國人很幸運，因為我們擁有多元文化，我們應該好好利用這項資產。

十九世紀時，你可以理所當然的認為每種重要產業都會孕育出特別的科技，而且這些不同的產業科技，永遠不會湊合在一起。從一八六九年的德國西門子公司（Siemens）開始，這個假設就是所有大型產業研究機構創立的前提。但它已經行不通了，現在科技時時刻刻都會交會，生產力不再是成功的保證。過去三十年裡，貝爾實驗室的生產力比歷史上任何一刻都高，但是成效如何？這段期間裡，有多少重大的科技突破，是從那裡出來的？

毫無疑問的，企業必須瞭解自己勢力範圍之外發生的事情，但是到目前為止，幾乎沒有任何這方面的資訊，既有的資訊頂多是趣聞。我們才剛剛開始學習如何量化這類資訊，到現在為止，每次有人宣稱做到上述這點，我就知道這個人是不自量力。

命令與控制

跟這一點息息相關的是另一個因素：用傳統方式完成的工作愈來愈少。過去，公司（尤其是大公司）會設法在明確的勢力範圍內，控制自己需要的一切，完成所有任務。我對現在這個變化不見得很高興，大家對命令和控制消失的討論確實很有道理，但有什麼能夠取而代之？我們看到愈來愈多公司跟包商和臨時人員合作，合資企業的數目增加，委外業務的成長，各式各樣的關係都在增加。為某家公司工作的人，很可能不是該公司員工，我聽過的一個預測是：在幾年內，為包括政府在內的機構工作的人員中，不是機構員工的人數會遠遠超過員工人數。

出現這種情形的跡象之一是專家以及管理顧問的爆炸性成長，我曾經答應替《哈佛商業評論》（Harvard Business Review）寫一篇文章，探討管理顧問被視為用戶的指南，是執行長迫切需要的東西，可是我寫不出這篇文章。外面發生的事情實在太多了，在我看來，這種現象代表我們需要投入的因素中，有愈來愈多不是來自我們控制的人員或機構，而是來自跟我們有關的人員和組織，他們是夥伴，是我們不能命令的人。

合資企業中成功的參與者都瞭解：一位夥伴不能「命令」另外一位夥伴。跟夥伴合作基本上是行銷的工作，這表示我們要問：另一方的價值觀、目標和期望為何？但是，有時候要讓事情做好，下命令非常重要。明天的執行長必須瞭解何時該下命令，何時該當夥伴，這一點並非沒有前例，摩根（J.P.Morgan）創立了一個十二人組成的合夥機構，但是他仍然知道什麼時候要承擔領袖的角色，只是這樣做絕不容易。

知識工作者崛起

已開發國家未來會擁有的唯一優勢為何？我們從兩次世界大戰學到的教訓，就是如何在一夜之間把人員訓練好。

韓戰結束後不久，我奉派到韓國，該國經歷的破壞遠超過二次大戰期間的德國或日本。更糟糕的是，在韓戰之前的五十年，日本人不准韓國有任何高等教育，不過，只要有適當的支持和訓練，不用十年，就可以把純粹屬於農村的原始勞動力，變成具高生產力的勞動力。

你不能再依靠知識的競爭優勢，科技傳播的速度快得讓人難以相信，未來三、四十年內，美國擁有的唯一真正優勢，大概是一種不容易在一夜之間創造的東西，意

即，能大量供應知識工作者。美國有一千二百萬名大學生，在中國，頂尖的學生訓練極為精良，但是十二億人口中，只有一百五十萬個大學生，如果美國擁有同樣的比例，我們應該只有二十五萬個大學生。我們現在可能會認為美國的大學生太多了，尤其是法學院的學生，但是知識工作和知識工作者的生產力仍然很明顯，問題是我們還沒有好好運用。

今天知識工作者的生產力很可能不如過去，因為他們的日程表上，充滿了無法反映他們的訓練或才能的活動。美國護士所受的訓練是全世界屬一屬二的，可是，每次我們針對護士進行研究，就發現他們百分之八十的時間，都花在那些非專業的事情上，他們花時間填寫那些顯然任何人都不需要的報表，沒有人知道這些報表的下場，但還是得填，而這種工作就落在護士身上。又像在百貨公司裡，銷售人員百分之七十到八十的時間，不是拿來服務顧客，而是服侍電腦，今後二十年，如何讓知識工作者更適切的發揮生產力，是我們必須嚴肅面對的挑戰。

如果是勞力工作，我們最先問的問題是，「你怎麼做這份工作？」而在知識工作，你最先問的問題應該是，「你做什麼工作？你應該怎麼做？」如果我們想維持美國的競爭優勢，回答這些問題至為重要，實體資源不再能提供多少優勢，技術也不行，只有知識工作者的生產力才能創造重大的差別，但現在，這種生產力還相當低

落。

整合為一

這一切的真正涵義是什麼?首先，這表示執行長的工作是為公司認定的「成果」定出明確的方向，表示執行長必須明確知道，何時要衝刺，何時要撤退，何時應該放棄一些東西，明天的領袖不能只靠魅力來領導，他們必須徹底思考這些基本因素，以便其他員工能夠發揮生產力。

這是相當嚴厲的考驗，尤其是考慮到變化的速度、新勞動力的期望以及世界經濟的競爭日漸激烈時。但這種任務之所以會變成嚴厲考驗，也是因為執行長不再能夠訂出一種政策，然後期望這種政策能夠支持你很多年，有些公司像通用汽車、美國電話電報和席爾斯百貨公司（Sears Roebuck），就曾靠著長期的重大政策，締造成功。但這些公司是例外，過去，十年變化一次是很普通的，現在則快速許多，以後每三、四年就出現一次轉變，可能會變得更常見。

執行長的任務會逐漸變得很複雜，遠遠超過我所知道世界上最複雜的工作——例如管理歌劇演出。你手裡有一些明星，你不能命令他們，你還有一些配角演員和交響

樂團，以及幕後工作者和觀眾，每一種團體都不相同。但歌劇指揮擁有樂譜，每個人都有同樣的樂譜，你必須把不同的團體加在一起，得到你希望的結果，這一點就是瞭解未來的關鍵。執行長的任務不是變得比較不重要，也不是變得比較重要，而是功能不同了，執行長不是要避免發號施令，而是知道什麼時候下命令，什麼時候該以夥伴的態度對待別人。我可以跟你保證，財務目標的重要性不會被降低，正好相反，我們的人口結構告訴我們，財務目標會變得更重要，但你必須知道，如何把財務目標和建立與維持企業的需要整合為一。

（一九九七年）

商機

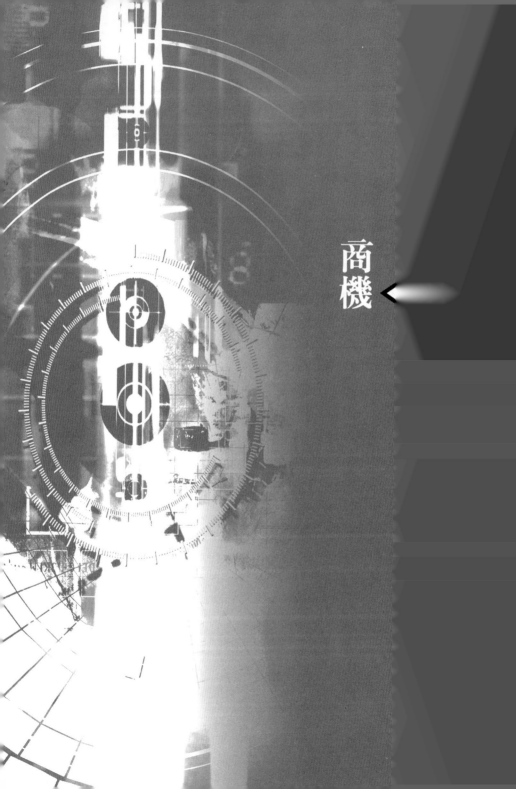

第七章 企業家與創新

這篇專訪由《公司雜誌》（Inc.）總編輯喬治．簡德龍（George Gendron）負責，專訪地點在作者的加州克萊蒙辦公室，這篇專訪是根據作者指定的主題和專訪者的問題，由作者自行編輯專訪者的草稿，寫成最後的文字，刊在一九九六年《公司雜誌》的「中小企業一九九六年年報」特刊中。

《公司雜誌》：你同意美國人的企業精神表現是最優秀的嗎？同意我們遙遙領先其他國家嗎？

杜拉克：絕不同意！這是幻象，是危險的幻象，我們擁有的新創企業和失敗的新創事業，可能是世界最多的，但也只有這樣而已。我們很可能連第二名都拿不到。

誰是第一名？

毫無疑問的，是韓國。不過是四十年前，韓國還沒有工業，日本人統治韓國幾十年，不容許韓國擁有工業，也不容許韓國任何人接受高等教育，韓國實際上沒有受過教育的人。韓戰結束時，南韓更遭到徹底摧毀，但今天南韓有二十多種世界級的產業，而且在造船和某些領域上，是世界領袖。

如果韓國是第一，我們又不是第二，誰是第二？

在韓國之後不遠的地方是臺灣，臺灣像韓國一樣，在一九五〇年還處於前工業時

期，今天臺灣在包括微晶片在內的若干高科技領域上，已是世界領袖。還有，別忘了中國人，中國人在太平洋兩岸不斷創立新事業。

好吧，那麼第三仍然很可貴，不是嗎？

美國的記錄不會勝過日本和德國，日本擁有的世界級企業比率超過我們，這些企業四十年前不是還不存在，就是只是家庭工廠，例如新力、本田、山葉、京瓷、松下等等。

德國從二次大戰的灰燼中崛起，到今天成為世界第三大經濟體，每人製造品出口金額是世界第一，這要歸功於企業精神的爆炸性成長，使幾千幾百家全新或老舊的小工廠，變成世界級的製造廠和產業領袖。

博德曼公司（Bertelsmann）是一個例子，博德曼是世界最大的多媒體公司之一，在四十個國家經營。但在一九四六年，創辦人的曾孫雷恩哈德・摩恩（Reinhard Mohn）從戰俘營裡回來時，博德曼還是小城市裡的出版商，專出宗教小冊子。

你剛才說美國的企業「幻象」很危險，怎麼會呢？

除了我們的企業家高人一等的想法根本是錯的之外，更讓我困擾的是，這種想法會引誘我們陷入自以為是的危險，這種情形跟一九七〇年代初期我們對管理的自以為是沒有兩樣，當時我們相信美國的管理超越群倫，日本人圍著我們，想要學習大量生

產和顧客服務。

我擔心我們對自己的企業精神和創新自以為是，會讓我們再度遭到挫敗，不僅被日本人打敗，也會被韓國人打敗。

你為什麼認為會這樣？

在美國，我們大致上仍認為企業家只是有很好的點子，而創新大多來自研發，屬於技術層次。我們當然知道企業家是一種鍛鍊、一種相當嚴格的鍛鍊，創新是經濟層面的事情，不是技術層次。企業家創造新事業並非新聞，事實上，就是這些東西讓愛迪生在一個多世紀以前這麼成功。但我認為，美國企業除了少數例外，例如默克公司（Merck）、英特爾（Intel）和花旗銀行（Citibank），其他企業似乎仍認為創新是「靈光一現」，不是有系統、有組織的嚴格鍛鍊。

這種鍛鍊有什麼關鍵要素？

創新需要我們有系統的看出事業上已經出現的東西，包括人口、價值觀、科技或科學的變化，然後把這些變化當成機會。除此之外，現有公司還必須拋棄昨天，而不是拼命的防衛昨天，而這點正是最難做到的。

企業家的四大陷阱

有這麼多希望濃厚的新企業創設，這些企業在前一、兩年表現極為優異，然後突然陷入嚴重困境，就算能夠生存下去，也會留下永難磨滅的震憾。企業家有什麼常犯、但其實可以避免的錯誤？

實際上，有四點是新創成長企業常犯的錯誤，我把這些問題稱為企業家的陷阱，這四件事情都可以預測、可以避免。

第一個問題出現的時機是企業家必須面對現實，知道新產品或服務不會在自已想像的地方成功，而是在完全不同的市場裡成功。很多企業之所以會消失，是因為創辦人堅持自已比市場還瞭解市場。

因此，企業家經常實際上已經成功，卻不瞭解這一點？

不是，比這還糟糕，企業家排斥成功，你需要例子嗎？有成千上萬個例子，其中最著名的發生在一百多年前。

有一個叫約翰．海雅特（John Wesley Hyatt）的人發明了滾子軸承（roller bearing），他認定這種東西最適合用在鐵路貨運列車的車軸上，鐵路一向把浸了油的

破布塞在車輪裡，以避免磨擦。然而，當時鐵路還不準備採用這麼劇烈的變化，它希望繼續採用破布，海雅特在說服鐵路使用新產品時破產了。

後來，創設通用汽車的艾佛瑞．史隆（Alfred Sloan）在一八九〇年代以優異的成績自麻省理工學院畢業時，要求父親替他買下海雅特已經破產的小公司，史隆和海雅特不同，他樂意擴大事業，尋找新產品的用途，結果滾子軸承用在汽車上很理想，那時汽車才剛在市場上出現。史隆的事業在兩年內欣欣向榮，此後二十年，亨利．福特（Henry Ford）是他最大的顧客。

說得好，但是拒絕成功真的這麼常見嗎？

我要說的是，大部分成功的新發明或產品都不是在原來想像的市場上成功，我一而再、再而三的看到這種事情。新古柯鹼是德國化學家艾佛瑞．艾恩宏（Alfred Einhorn）在一九〇五年發明的，原來是希望用在大手術中，但它不適用，倒是牙科醫師想用這個產品，可是這位發明家卻設法阻止，因為他不希望這個產品被用在鑽牙這麼「平凡的目的」上。艾恩宏一直到死前為止，都在世界各地奔走，宣傳新古柯鹼當作一般麻醉劑的好處。

還有一個最近的例子，我知道有家公司的創辦人，設計了一種軟體程式，他百分之百地肯定每家醫院都需要這種程式。但醫院告訴他，他們的組織方式跟他想像的不

同，結果他連一套都賣不出。之後因為某次意外，一個小城市發現這程式正好是他們需要的東西，於是訂單開始從全國各地的中型城市擁來，但他拒絕賣給他們。

企業家為什麼拒絕意外的成功？

因為這點不在他們的計畫之內，企業家認為自己掌控大局，這會帶來第二個陷阱，企業家認為，在新創企業中，利潤最重要，但其實利潤是次要的，現金流量才最重要。

成長的軀體需要營養，一個正在成長的企業會燒掉非常多錢，你必須不斷投資，才能損益兩平，這是原先就該預測到的，我們要避免陷入週轉不靈的困境。企業創辦人來看我，告訴我他們的業務多麼順利，我只告訴他們，現在應該為下一次的需求籌措資金，光是這樣，我就不知道救了多少家企業。你如果有半年到一年的時間來安排，通常一定會得到融資，而且條件優厚。

為什麼企業家這麼不容易瞭解現金流量的觀念？

不只是他們而已，華倫・巴菲特（Warren Buffet）說過，如果他想知道一家公司表現如何，他不會聽證券分析師的話，證券分析師只會討論無關緊要的利潤，他會聽銀行信用分析師的話，銀行信用分析師會討論現金流量。我收到的股市雜誌中，還沒有看到有那本雜誌，討論成長公司的現金流量和財務地位，這些雜誌只談利潤率和獲

利能力。

為什麼？這是我們商學教育的結果嗎？

不是，基本上企業家在財務方面是文盲。

好，假設企業注意現金流量，克服了週轉危機，而且迅速成長，超出預期。那第三個陷阱是什麼？

企業開始成長後，創辦人會忙得不可開交，迅速成長會對企業造成龐大的壓力，它會超出你的生產能力和管理能力。

企業家漸漸忙不過來，要看銷售報表，也要看獲利預測。這些東西讓他相信，再過一年，他就可以把公司賣掉，賺到一千萬美元，但他卻看不到公司已經成長到超出了管理能力。

我和企業家合作了五十年，發生這種事可以說很正常，百分之八十的企業都會這樣。即使你的企業以正常的速度成長，不是每隔半年就成長三倍，而是以亮麗、穩健、可以持續下去的速度成長，管理危機都會在第四年年底出現。

這是企業成長到超出管理能力的時候嗎？

是的，一開始，創辦人凡事都親力親為，有助手，但是沒有同僚，然後突然之間，一切都出了問題，品質失去控制，顧客不付款，交貨期限延誤。

每家新企業都會犯錯，而且犯很多錯，在成長到超出管理能力這方面，有什麼跡象是企業家不能忽略的？

來找我的人，我總是問他們碰到機會時如何因應，「假設有位顧客說，『如果你做一萬個某種產品，我就給你合約。』你認為這是負擔還是機會？」如果他們回答，「當然是機會，但我會擔心，因為這是額外的負擔。」我就會說，「對了，朋友，你已經成長到超出自己的管理能力。」

為了避免危機發生，你應該坐下來，建立一個管理團隊，等到你大概有四十個手下時，你就得評估他們，看看誰有管理能力，你把四、五個有管理能力的人叫進來（不可能再多了），對他們說，「我希望你們每個人在下週末坐下來，看看這裡的其他人，包括我在內，不要看你自己，要看別人，想想每個人最擅長什麼。」然後你們一起坐下來，拿出一張紙，列出公司的關鍵業務，今天我們把這種事情叫做「建立公司的核心競爭力」。

年輕企業家付不出高薪引進管理團隊。經常出現的情況是，公司有位善於做顧客服務的老唐，你可能也讓他管理公司事務，讓他做額外的工作達幾個月或幾年，或是給他一位助手，但老唐負責的工作是顧客服務。還有一位陳小姐，是負責製造部門的人，她比任何人都擅於應付人際關係，於是你的製造部門主管同時兼任你的人事主

管。

你們開始每個月開一次會，可能是在星期六，在一年內你就能擁有一個管理團隊。通常，要創造一個團隊至少需要一年，比較可能的時間是一年半。

真的像團隊一樣開始合作嗎？

對，可是你也必須知道，雖然老曹很難共事，但他正好是我們需要的財務人員。或者老唐變成了一流的銷售和行銷經理，但是當顧客服務經理卻不行，老唐可能是你最好的員工，但是他還不夠好。

對企業家來說，做這個決定很難，尤其是如果老唐一開始就在。

對，但是如果你提前一年半建立團隊，老唐就知道自己該知難而退了。你不能等到一切都失去控制時，才這麼做。

第四個陷阱是什麼？

第四個陷阱最難處理。它通常發生在企業已經很成功，企業家開始把自己看得比企業還重要時。這個人十四年來，每天工作十八小時，創造了年營業額六千萬美元的業務，還有一個運作順暢的管理團隊。現在他會自問，「我想要做什麼？我的角色是什麼？」這些都是錯誤的問題，如果你開始問這種問題，最後必然會毀掉自己和企業。

應該問什麼問題？

你應該問，「公司這個時候需要什麼？」而下一個問題是，「我具備這些能力嗎？」

你必須從企業的需要開始問，這時外人可以提供很大的助力。多年來，大概有一百個處在這種狀況的人來找我，我問他們，為什麼來找我，大部分的人都說，他們的太太說他們已經做不好事情了，說他們正在摧毀自己、家庭和事業。偶爾，他們會有一個聰明的女兒來說這種事，但如果是兒子，創辦人會把兒子掃地出門，「他是不是想接班、想把我趕出去？」只有太太或聰明的女兒可以這麼說。

有時，外面的股東、會計師或律師會說話。通常得要有人讓這位企業家，去面對自己已不再樂在其中的嚴厲現實，他得知道自己的心思沒有放在該做的事情上。

你認為今天的企業家比較聰明，可以避免你剛才說的這些陷阱嗎？

不。

不？經過這麼多教育、有這麼多企管碩士仍是如此？

不對，教育無法賜給你經驗或智慧。

大企業能夠培養企業精神嗎？

一九八〇年代時，我們常常聽到企業內創業，但它似乎是一時的流行，現在熱潮已經消失，大企業真的能培養企業精神嗎？

當然可能，很多公司都這麼做，甚至有許多中型公司擅長這麼做。但這一點和大多數書籍說的企業精神不同，大部分書籍的靈感，是來自西方歷史中前一次的大規模創業時期，也就是第一次世界大戰前六十年，我們所有的重要機構，不只是企業，都是在這段時期裡創造和成形的。

這段期間是從一八五一年倫敦的世界大博覽會（Great Exhibition）開啟了第二次工業革命開始，延續整個一八五〇年代，期間英國的威廉．柏金（WilliamHenry Perkin）發明了第一種苯胺染料，開啟了現代化學工業。

這十年裡，德國的西門子發明了第一座電動馬達，開創了現代電器工業；賽魯斯．麥康米克（Cyrus McCormick）發明了收割機，也開創了機械化農業；而橫跨大西洋的第一條海底電纜鋪設完成，橫越大西洋的定期輪船服務也開始出現；英國的柏賽麥（Bessemer）發明了製造鋼鐵的程序；法國的斐瑞爾（Pereire）兄弟創立了莫比

里爾信貸公司（Credit Mobilier），開創了現代金融事業。

從這個時候到一九一四年，人類每隔十四個月，就會出現一項重大發明，每種發明都立刻創造出一種新企業。

這段發明期間跟今天有何不同？

當時所有新產業都進入真空地帶，美國鐵路變成大型產業時，還沒有任何大公司存在，沒有任何競爭，鐵路沒有取代任何企業，沒有造成任何排擠。但今天的世界充滿了各種機構，我們之所以會陷入混亂，是因為起源於一百多年前的機構無法生存下去。

對大公司的企業家而言，這代表什麼意義？

大公司必須學會創新，否則無法繼續生存。對某些公司來說，這代表必須重新創造發明，大公司逐漸透過結盟和合資事業來創造成長。但是，很少大公司知道如何管理結盟，他們習於發號施令，不善於和夥伴合作，這完全是不同的兩件事。在聯盟或合資事業中，你必須問，「我們的夥伴想要什麼？我們共同的價值觀和目標是什麼？」對那些在奇異公司或花旗銀行中成長，現在已爬到頂尖或接近頂尖位置的人來說，這些問題很難開口。

創新也表示改變你的產品和服務，滿足變化空前快速的市場。看看銀行好了，今

天美國只有少數幾家大銀行能在傳統業務中，例如商業放款或存款方面賺錢，大部分的銀行是靠經營信用卡，自動櫃員機費用、外匯交易和銷售共同基金賺錢。大公司若想繼續生存，就得創新。

但是大公司能培養企業精神嗎？

他們必須這麼做，才能補救他們在學習跟夥伴和盟友合作的過程中所碰到的困難，他們現在怎麼做？就是在內部設立一個單位，讓這個單位採用和其他部門不同的做法。這個單位愈成功，公司愈無法確定是否能以同樣的標準，來期望這個單位。

如果是新事業，不管是在公司內還是公司外，都是小孩，你帶六歲大的小孩去遠足時，不會叫他背二十公斤的背包。

有沒有什麼內部創業成功的例子？

有些公司善於改進既有的事情，日本人把這種情形叫做改善。有些公司善於擴大既有的事情，還有一些公司善於發明，每家大公司都必須能同時做好改善、擴大和發明這三件事。我不知道有哪家大公司已經做到這一點，但他們都在學習。

你能回頭摘要說明你對社會事業的看法嗎？

首先，社會事業和經濟企業一樣重要，說不定還更重要些。美國的經濟很健全，社會卻很病態，因此，我們最迫切需要的可能是社會事業，例如在醫療保險、教育、都市管理方面的社會事業。幸運的是，我們已經有夠多的事例，讓我們知道社會事業可以成功，也讓我們知道怎樣去做。

有什麼例子嗎？

你必須從小開始，大規模的萬靈丹永遠行不通，柯林頓總統的醫療保險改革計畫的問題就在這裡，現在我們在全美各地實驗醫療保險，從這當中，新的美國醫療保險制度的輪廓逐漸出現。我們仍談論野心勃勃的全國性大規模教育改革方案，但在很多地方，當地的學校如公立學校、教會學校和私立學校，都已採行地方性的做法，也獲得成功。我們知道美國大眾，尤其是年輕、受過教育的雙薪家庭，都樂於支持社會事業，尤其樂於當義工。

你說過，愈來愈多社區工作改成由地方負責，這些機構有營利事業，也有非營利

事業，為什麼有這麼多小型的非營利機構「嚴重管理不善」？

因為他們錯誤的以為善心可以移山，但只有推土機才可以移山，當然也有一些例外。

我在一九九〇年協助創立一家致力推動非營利事業管理的基金會，我們的檔案中有一千多件成功的例子，大部分是地區性的小機構。我們今年把年度創新獎頒給雨林同盟（Rainforest Alliance），這個同盟找出拯救雨林的方法，同時提高香蕉農民的產量和所得，這些農民原來是雨林最大的敵人。連第一名以後的獎項，也是發給在社會方面有所創新的人。

這些人是社會企業家，不是商業企業家，我們顯然需要社會企業家改變社會的表現能力，否則過去三十年裡，就不會有八十萬個非營利機構成立。

過去行善的意思是開支票捐錢，今天愈來愈多成功的人士認為，這樣已經不夠，他們尋找的是平行事業，而不是第二個事業，很少人換工作。

你說過，我們即將面臨一段重大創新時期，民間部門有這麼多人希望參與社會事業，你是否認為，未來出現的社會創新，會比過去很長一段時間都多？

這點毫無疑問。

但是有很多企業人士懷疑非營利機構，他們認為這些機構不專業。

他們有對也有錯，對的地方是，管理不善或毫無管理的非營利機構實在太多了，他們錯的地方則是，非營利機構不是企業，應該用不同的方式經營。

用什麼方式？

非營利機構需要的管理不會比較少，因為這些機構沒有財務底線。他們的使命和「產品」必須被明確規定，而且要持續不斷地評估，大部分非營利機構都必須學習如何吸引和維持義工，義工的滿意度是用責任和成就來衡量的，而不是薪水。

你對政府的創新和企業精神有什麼看法？

這點很可能是我們最大的挑戰，主要工業國家裡，沒有任何一個政府還能真正發揮功效，美國、英國、德國、法國和日本的政府都得不到公民的尊敬和信任。每個國家都呼籲加強領導，但這個呼籲是錯的。一旦碰到全面性的失能現象，問題就不在人，而是在制度。

現代政府約有四百年的歷史了，它需要創新。國家和現代政府是在十六世紀快要結束時發明的，這是歷來最成功的發明之一，在兩百年內就席捲全球。然而，現在是重新思考的時候了，主導過去六十年的經濟理論也一樣。未來二十五年內，企業精神和創新最重要的領域是政府，而不是企業或非營利機構。

（一九九六年）

第八章

他們不是員工、是人員

MANAGING IN THE NEXT SOCIETY: BEYOND THE INFORMATION REVOLUTION

世界最大的非政府雇主，也就是瑞士的藝珂公司（Adecco），每個工作天都會派出七十萬名員工，以臨時人員的身分到世界各地的企業工作，光在美國派出的可能就多達二十五萬人。雖然藝珂是這一行的鉅子，但在整個「派工市場」中，也只占很小的比率。光是在美國，大約就有七萬家人才派遣公司，每天合計派出大約二百五十萬名員工，全世界這種員工即使不到一千萬人，也有八百萬人，百分之七十的「臨時人員」是專職工作。

臨時人員產業大約從五十年前開始發展，當時主要是供應低水準的職員，以取代生病或休假的記帳人員、接待人員、接線生或速記人員。今天，人才派遣業供應各式各樣的人才，甚至是臨時執行長。舉個例子，有家人才派遣公司供應製造業經理，負責設立新工廠，其工作從設計圖開始，到開始全能生產為止。另一家人才派遣公司則派遣技術高深的醫療照護專家，例如麻醉護士。

還有一個跟人才派遣有關，卻又大不相同的趨勢。一九九〇年代，美國成長最快的服務業是「專業雇主組織」（professional employer organization），現在至少有一千八百家這種公司，它們還組織了同業工會，叫「全國專業雇主組織協會」，並發行月刊《專業雇主報導》（PeoEmp Journal）。這些公司管理客戶的員工以及員工關係，十年前，幾乎沒有人聽過這種公司，現在，他們變成美國大約二百五十萬到三百萬員工的

「共同雇主」，這些員工包括藍領和白領員工。

專業雇主組織也像人才派遣公司般，近年來規模急速擴大，一九八〇年代出現的第一批專業雇主組織，提供簿記服務，尤其是替客戶發放薪資，現在專業雇主組織負責員工管理和員工關係中的每一項工作，包括製作記錄，依法雇用、訓練、派遣、晉升、解雇和裁撤員工，管理退休計畫和退休金給付。這些公司最初負責的範圍只限於小公司的員工關係，其中最著名的可能是設在加州爾灣（Irvine）的艾克瑟公司（Exult），這家公司在一九九七年創立時，就是要成為《財星》五百大企業的共同雇主，該公司的顧客包括各地的英國亞美和石油公司（BP Amoco），也包括美國的優利系統公司（Unisys）和田納和汽車公司（Tenneco Automotive）。艾克瑟公司已於那斯達克公開上市，公司在二〇〇一年第二季的營收從四千三百五十萬美元，成長為六千四百三十萬美元。另一家專業雇主組織創業時，原本是要服務員工低於二十人的小企業，為這些企業發放薪資，現在則準備接下某個擁有十二萬員工的大州的管理。還有其他的大公司也踏入這一行，例如埃森哲公司（Accenture，原為安盛顧問公司Andersen Consulting）。

但話說回來，誰才是這些派遣人才的「老闆」？如果專業雇主組織負責雇用、解雇、配置以及晉升，企業的高級經理人要做什麼？英國亞美和石油公司現在的員工，

包括高級科學家在內，都由艾瑟爾公司負責管理。我曾拿這個問題問過英國亞美和石油公司的一位高級經理，他的回答是：「艾瑟爾知道，如果想繼續維持合約，就必須滿足我的同事和我。當艾瑟爾開除或調動一些人時，經常是因為我的建議，或者跟我深入討論過。當然，我也知道艾瑟爾對我、公司和員工都有義務，如果艾瑟爾不能讓員工滿意，員工會離開。有一、兩次，艾瑟爾主張調動某個我很想留住的員工，說這樣對該員工最好，而且長期來說，可能對公司也最好，我就讓步了。」

人才派遣業和專業雇主組織迅速成長，藝珂公司每年成長百分之十五，專業雇主組織的成長更快，每年達百分之三十，換句話說，每兩年半，就會成長一倍，我們可以預期到二〇〇五年，這一行會成為一千萬美國勞工的共同雇主。

顯然，在員工關係和員工管理方面，新趨勢已經出現，這種趨勢不符合管理書籍中的理論，也不符合管理學院教導的東西，而且甚至不符合大多數組織─企業、政府和非營利機構─人際關係部門原來的設計和功能。

事務繁瑣、扼殺生機

臨時人員之所以這麼流行，一般認為是因為雇主可以擁有較大的彈性，但是有太多臨時人員是為同一個雇主長期工作，甚至年復一年的工作，因此這一點不是全部的原因。彈性不能解釋專業雇主組織出現的原因，比較合理的解釋是，這兩種形態的組織在法律上，都使為企業工作的人變成「非員工」。臨時人員的穩定成長和專業雇主組織出現，主要是因為雇主配合政府法規的負擔日漸沈重。

光是配合政府法規的成本，就有扼殺小企業的危險，根據美國政府中小企業管理局（Small Business Administration）的統計，在一九九五年（最後一個有做這種統計的年份）時，員工五百人以下的美國企業，每年光是為了配合法律、政府對文書作業以及稅務方面的規定，花在每位員工的成本就高達五千美元，也就是說，一九九五年美國中小企業員工的平均薪資、醫療保險和退休金加總起來，成本大約是二萬二千五百美元，另外還要百分之二十五的附加費用。一九九五年以後，跟員工雇用有關的文書成本，估計每年至少提高百分之十。

利用臨時人員取代員工，可以迴避上述成本中的許多項目，這就是為什麼有這麼多公司跟人才派遣業簽約，雖然臨時人員的每小時成本經常遠高於員工的薪資福利成

本。若想降低應付官僚體系的作業成本，另一個方法就是把員工關係委託外界負責，換句話說，就是讓專家來負責文書作業。根據中小企業管理局的統計，找到足夠的小企業，把至少五百名員工當成一組員工來管理，成本至少可以減少五分之二，專業雇主組織就是這麼做的。

不是只有小企業可以把員工關係委外負責。麥肯錫（McKinsey & Co.）一九九七年的研究報告斷定，《財星》全球五百大公司，也就是那些非常大的公司，如果把員工關係外包，勞工成本可以減少百分之二十五到百分之三十三，這份研究顯然促使了艾瑟爾公司在一年後創立。

把員工和員工關係委外處理是國際趨勢，雖然每個國家的勞工法令大不相同，但在已開發國家裡，企業承擔的這類成本都很高。藝珂公司最大的市場是法國，美國第二，而它在日本每年成長百分之四十，二〇〇〇年又在蘇格蘭開設了一個大型員工管理中心，同時在倫敦和日內瓦，也設有員工管理事務所。

除了成本，法規對經營階層的時間和精力也造成沈重的負擔。在一九八〇年到二〇〇〇年的二十年內，美國跟雇用有關的法規增加了百分之六十，從三十八種增加到六十種，所有法規都規定要提出報告，如果不遵照辦理，即使是無心之失，都可能遭到處罰。我們再根據中小企業管理局的統計，小企業、甚至中型公司的老闆，花在跟

雇用有關的文書作業上，整整達他所有時間的百分之二十五。還有，和雇用有關的訴訟不斷增加，從一九九一年到二〇〇〇年之間，向公平就業機會委員會（Equal Employment Opportunity Commission）提出的性騷擾案件就增加了一倍以上，從原本的一年六八八三件增加為一五八八九件，而且每提出一件告訴的同時，就至少還有十件是在公司裡和解的，每個案件都需要很長的時間調查和聽證，還有沈重的法務費用。

難怪雇主、尤其是占大多數的小企業雇主怨聲載道，抱怨自己沒有時間改善產品和服務，沒有時間處理顧客與市場、品質與流通，也就是沒有時間花在會有結果的事情上，反而把時間都用在處理跟員工有關的問題上。雇主不再高唱「人員是我們的最大資產」，而是改口說「人員是我們最大的負債」。人才派遣公司會成功，專業雇主組織會出現，就是因為他們可以讓經營階層把精力放在業務上。

順便一提，這個說法也可以解釋美墨邊境混血工廠成功的原因，這種工廠設在靠近美國邊界的墨西哥境內，在墨西哥內陸也逐漸增加，它把在美國、遠東或墨西哥生產的零件組合成產品，再輸往美國市場。事實上，我會認為，對製造業公司來說，避免繁重的文書工作，經常是比節省勞工成本還強烈的誘因，擁有混血工廠土地的墨西哥公司，其身分是「共同雇主」，負責處理所有跟員工有關的業務，降低美國或日本工

廠老闆的負擔，讓他們可以專心從事業務，在墨西哥，員工事務跟在美國一樣複雜。

我們根本沒有理由相信，在任何已開發國家，雇用法規造成的負擔和要求未來會減少。相反的，不論美國多麼迫切需要病人權利法案，毫無疑問的，這種法案會再創造出另一個雇主必須應付的機構，以及另一套報告文書作業，另一堆告訴、爭執和訴訟。

派工族之分別

人才派遣業和專業雇主組織之所以會出現，除了是要避免法規造成的昂貴成本和分心之外，還有一個重大原因，就是知識工作的本質，甚至可說是知識工作者的高度專業化。大多數以知識為基礎的大型機構，都有很多不同的專業工作者，對組織而言，要有效管理這些員工是項艱鉅的挑戰，而人才派遣業和專業雇主組織可以協助解決這個問題。

在不久以前的一九五〇年代，高達百分之九十的勞動力是「正式人員」，是聽令行事的屬下，那些發號施令的監工才是「臨時人員」。多數正式人員都是藍領勞工，沒什麼技術，受過的教育很少，通常在工廠或辦公室裡，做些重複性的工作。今天，不到

五分之一的勞動力是藍領工人。知識工作者占勞動力的五分之二，他們可能有領班，但他們不是「屬下」，而是「同事」，在他們的知識領域中，理當由他們發號施令。另外更重要的是，知識工作者並非一群同質性很高的人，只有專業化的知識才有效率，在知識工作者成長最快的部門中更是如此，這個部門也是整體勞動力中成長最快的領域，包括電腦維修人員、法律助理、程式設計人員及其他專才，由於知識工作的專業化，即使在大型組織，知識工作也劃分的很清楚。

醫院是最好的例子，整體而言，醫院是人類創設過最複雜的組織，在過去三、四十年，醫院也是所有已開發國家中成長最快的組織。一家中等規模、擁有二百七十五到三百張病床的地區醫院，會有大約三千名工作人員，其中接近一半的人是某種專業的知識工作者，人數最多的兩大類，就是護士和專科醫師，各約有好幾百人，除此之外，還有約三十種「專業醫護助理」，包括物理治療師、臨床實驗室人員、精神醫學個案工作人員、腫瘤技術人員、二十多位負責為病人做手術前準備的人員，睡眠醫療中心人員、超音波技術人員、心臟臨床專業人員，以及其他多種專業人員。

這些專業人員都有自己的法規、教育、資格要求，以及資格評定方式。而在任何一家醫院，每種人都只有少數幾位，例如一家有二百七十五張病床的醫院，其營養師可能不超過七、八位，他們都期望並要求特別待遇，都希望也需要有層級較高的人，

瞭解他們在做什麼、需要什麼、跟醫師、護士、營業部門的關係應該如何，而且他們在個別醫院裡沒有晉升機會，他們不希望、也沒有機會擔任醫院的管理人員。

目前仍舊很少有什麼企業像醫院一樣，擁有這麼多專業人員，不過兩者已逐漸拉近。我所知道的一家連鎖百貨公司，現在有十五、六種不同的專業人員，而每家百貨公司雇用的每一種專業人員，都只有少數幾位。金融服務業的專業化也日益加強，而且顯然需要專注於某種專業，例如負責為公司顧客選擇共同基金的人，本身並不銷售這些資金，也不為這些基金提供服務。在這個組織裡，個別的知識專業人員晉升的機會愈來愈少，這些為公司的顧客選擇共同基金的專家，並不會成為銷售共同基金的業務人員，但是，他們對於擔任經理，也不會特別感興趣，至多只願管理一小組類似的專業人士。

美國醫院已經用分割委外（piece meal outsourcing）的方式，大致解決了專業化的問題，在很多醫院（現在可能已經占大多數），各個知識專業都有不同的委外公司負責管理。例如，輸血由專業輸血公司管理，這種公司管理許多不同醫院的輸血部門，他們像專業雇主機構般，是輸血人員的共同雇主。在這個連鎖鏈中，個別輸血專家也有晉升機會，如果他們表現優異，就可以成為規模較大、待遇較好的醫院輸血部門經理，或是成為連鎖鏈中幾個輸血單位的監督人員。

不論是大型人才派遣公司，還是專業雇主組織，都可以把那些醫院個別處理的事情做整體考量，他們的每一個顧客，即使是最大的顧客，都缺乏足以有效管理、配置和滿足高度專業化的知識工作者的規模。這就是專業雇主組織和人才派遣公司能夠提供的東西。

因此，對雇主和受雇人員來說，人才派遣公司和專業雇主組織都提供一個重要的功能，這也是為什麼專業雇主組織能夠宣稱，而且也能證明，由他們擔任共同雇主的人員的滿意度都比較高—這其實違反人力關係理論所做的一切預測。中型化學公司的冶金專才待遇可能很優厚，工作可能很有意思，但公司只需要少數幾位，而高層人員當中，又沒有人瞭解冶金專才到底在做什麼、應該做什麼，以及可以做什麼。冶金專才沒有機會成為高級經理人，即使有，機會也很渺茫，況且，要成為高級經理人，就意味著要放棄多年學習和喜愛的工作。經營良好的人才派遣公司可以、也的確把冶金專才，放在他們可以發揮最大貢獻的地方，可以、也的確把成功的冶金專才，安置在待遇愈來愈優厚的工作上。在某一家專業雇主組織的專職服務合約中（很多專業雇主組織不接受專職以外的合約），明白規定專業雇主組織有義務和權利，把這個人員配置在最合乎他們專業的工作和公司裡。如何在雇用這些人的客戶和這些人之間求取平衡，很可能是專業雇主組織最重要的工作。

企業還不瞭解狀況

人力資源政策仍然認定，為一家公司工作的大部分人，是這家公司的員工，但我們已經看到事實並非如此。有些人是派遣員工，有些是外包公司的員工，代管電腦系統或電話服務中心，還有一些是年紀較大，已提早退休的兼職員工。勞動力被分割成這樣，我們再也不能把組織看成跟過去一樣。人力資源機構和專業雇主組織只關心自己的法定員工，人才派遣公司宣稱，他們銷售的是生產力，換句話說，是替組織擔任監督的工作，但是，我們很難看出他們怎麼做到這一點。人才派遣公司和專業雇主組織提供的生產力是高是低，要看如何配置、管理和激勵人員而定，但兩者在這些方面都無法控制。

這種缺乏監督的情形是真正的問題，現有組織都需要員工管理，必須把組織賴以生存的生產力和員工績效，當成組織的責任，無論這些人是派遣人才、臨時人員、組織本身的員工，還是外包公司、供應商和經銷商的員工。

跡象顯示，我們正朝這個方向移動，歐洲一家多國消費產品廠商準備把員工管理部門分割出去，成為不同的公司，好為母公司在世界各國擔任專業雇主組織，同時負責管理那些為這家公司工作、卻不是法定員工的人。最後，這個內部的專業雇主組織

會變成該公司的供應商與經銷商員工，以及兩百多家合資企業與策略夥伴公司員工的共同雇主。日本消費電子產品巨人新力公司正在實驗一項計劃，根據這個計畫，應徵該公司主要工廠長期職位的人，必須先以藝珂公司臨時人員的身份，為新力工作十個月，而在這段期間，藝珂雖然是這個人的法定雇主，卻是由新力負責該名試用人員的人事管理。

競爭優勢的關鍵

實際上，今天的組織必須比五十年前，更重視所有員工的健康和福祉，知識勞動力的素質跟較低的勞動力不同，現在知識工作者還是少數，但不會永遠如此。知識工作者會迅速成為最大的勞動團體，且成為創造財富的主力，每家企業的成敗、甚至存亡，將愈來愈靠知識勞動力的表現而定。根據統計法則，除了最小的組織之外，任何組織都不可能獲得「比較好的人才」，在知識經濟中，組織要超越群倫，唯一的方法是從同樣一批人身上，取得更多東西，也就是說，要靠管理知識工作者，以得到更高的生產力，意即「讓平凡的人做出不平凡的成就」。

讓傳統勞動力有生產力的東西是制度，無論是菲德里克・泰勒（Frederick

Winslow Taylor）的「最好方法」（one best way）、亨利・福特的生產線，還是愛德・戴明（Ed Deming）的「全面品質管理」（Total Quality Management），制度都具體表現出知識。制度之所以具有生產力，是因為個別員工不需要多少知識或技術就能有所表現。事實上，在生產線中（在戴明的全面品質管理中也一樣），個別員工的技術太強，對同事和整個制度反倒是威脅。然而，在以知識為基礎的組織中，讓制度有生產力的卻是個別員工的生產力，在傳統勞動力中，員工為制度服務，但在知識勞動力中，制度必須為勞工服務。

現在已經有很多以知識為基礎的組織，足以說明上述所言，一所大學之所以能夠成為傑出的大學，是因為它能吸引並（最重要的）培養傑出的教師與學者，讓他們能從事傑出的教學與研究。歌劇院的情形也一樣，以知識為基礎的機構中，最像知識企業的是交響樂團，一個交響樂團大約是由三十種不同的樂器構成團隊，然後和協地演奏同樣的曲目，傑出的交響樂園不是由傑出的演奏家組成，而是由能夠表現最佳水準的一般演奏家組成。例如一個浮沉多年的交響樂團，聘請一位指揮來扭轉局面，這個新指揮通常不能解雇多少人，頂多只能解雇幾位最草率或最落伍的演奏家，他通常也不能聘請太多新團員，他要做的就是提高他所承接的團員的生產力，成功的指揮家會跟個別團員或個別部門密切合作。他們的「雇用關係」是已經決定的事，幾乎不能改

變，但他們的「人際關係」會造成重大的差別。

要強調知識工作者的生產力很難，因為知識勞動力有個重要特徵，就是知識工作者不是「勞工」，而是資本，但決定資本績效高低的依據，不是成本，也不是投入多少的問題，如果這麼簡單，蘇聯很容易就會變成世上最強大的經濟體。真正重要的是資本的生產力，蘇聯經濟會崩潰，是因為蘇聯投入資本，生產力卻低得出奇，經常不到市場經濟資本投資的三分之一，有時候甚至是負數（就像布里茲涅夫時代在農業上的龐大投資），其原因很簡單，沒有人注意資本的生產力，沒有人把這一點當成自己的責任，也沒有人會因此得到報酬和獎勵。

在市場經濟體系裡，民間產業也給我們同樣的教訓，新產業可以靠創新獲得並維持領導地位，然而在舊產業，領導公司之所以與眾不同，幾乎都是資本的生產力高人一等。在二十世紀初期，奇異電氣（General Electric）靠著科技和產品創新，跟長期對手西屋公司（Westinghouse）及歐洲的西門子公司競爭。但是到了一九二〇年代初期，電機科技快速創新的時代結束，奇異轉而注重資本的生產力，因此獲得決定性的領導地位，且一直維持到現在。同樣的，席爾斯百貨公司（Sears）從一九二〇年代末期到一九六〇年代，曾有過一段風光的歲月，它靠的不是商品或訂價，席爾斯的對手如蒙哥馬利・華德公司（Montgomery Ward）等同業，在這兩方面都做得一樣好，席

爾斯能夠領導群倫，是靠著它可以從一美元中，獲得比其他零售商高兩倍的價值。知識企業必須同樣的注重資本生產力，也就是注重知識工作者的生產力。

把時間還給經理人——管理人員

人才派遣公司、尤其是專業雇主組織讓經理人得以解脫，可以把精神放在業務，而不是放在跟雇用有關的法規和文書作業上。把四分之一的時間花在跟雇用有關的文書工作上，的確是在浪費寶貴、昂貴且稀少的資源，這種工作會讓人厭煩與腐化，唯一能教導大家的，是更精進的做假技巧。

因此，企業有充分理由去嘗試放棄勞工關係中一成不變的雜務，但企業必須注意，無論是在內部把員工管理制度化，還是把責任委外，在這個過程中，不能傷害或摧毀人際關係。文書工作減少的主要好處之一，可能是有多一點的時間來處理人際關係。經理人必須學習高效率的大學系主任，或成功的交響樂團指揮，發掘人員的潛力，並花時間培養他們。要讓大學的一個系傑出，你得花時間和有希望的年輕博士後學者與助理教授在一起，直到他們有傑出的表現；要讓交響樂團變成世界級的樂團，需要一再練習一首交響曲的同一樂章，直到第一豎笛手演奏出指揮要求的水準為止；

產業實驗室的研究主管要成功，道理也在於此。這是知識企業要領先群倫的唯一方法，經理人必須花時間跟有希望的知識專才在一起，認識他們，也讓他們認識你，還要培養他們，傾聽他們說話，並質疑和鼓勵他們。這些人在法律上可能不再是組織的員工，但卻仍是組織的資源和資本，也是組織表現好壞的關鍵。雇用關係可以制度化，也的確應該制度化，這表示雇用關係可以客觀，也應該要客觀，而這一切會促使人際關係變的更為重要。如果雇用關係委外，經理人必須跟委外公司的經理人密切合作，處理知識人員的專業發展、激勵、滿意度和生產力，他們的生產力會決定組織的生產力和績效，或許，這是前面所提英國亞美和公司故事的主要（暗示性）教訓。

兩百五十年前的工業革命產生固定的大型組織，棉紡廠和鐵路是先驅，這些組織雖然史無前例，卻仍跟過去的工作一樣，是以勞力工作為基礎，直到五、六十年前，即使在最先進的已開發國家，絕大多數的工作都還是勞力工作。現在，知識工作和知識工作者出現了，並成為知識社會與知識經濟的「資本」，這是項重大的變化，可以跟工業革命造成的變化等量齊觀，它甚至可能造成更重大的變化。要應付這種情勢，我們需要的絕不僅是新計畫和新作法，我們需要新標準、新價值觀、新目標和新政策，可以想像，這些東西需要很多年才能完備。雖然如此，現在還是有很多以知識為基礎的成功組織，足以讓我們知道，知識組織的員工管理一定有什麼基本假設，而這個基

本假設就是，員工或許是我們最大的負債，但人員也是我們最大的機會。

（二〇〇二年）

第九章 金融服務：不創新就滅亡

過去四十年，倫敦喜獲新生，恢復世界金融中心的地位，它就跟矽谷一樣，令人嘖嘖稱奇，今天的倫敦，力量和重要性可能不如滑鐵盧戰役（Waterloo）到第一次世界大戰之間的一百年，然而，倫敦金融區卻靠著銀行同業市場（interbank market），成為世界銀行體系的「中央銀行家」，倫敦是全球最大的外匯市場，雖然許多中期融資資金，例如融通併購所需的「週轉貸款」，可能是在美國募集的，但是，其複雜的交易結構經常都是在倫敦擬定，即使是在承銷之類的長期融資方面，倫敦的地位也僅次於紐約。

可是在一九六〇年時，沒有人預期倫敦會捲土重來，倫敦的地位經過五十年的穩定衰微後，當時連倫敦金融區裡面，都有很多人認為，倫敦已經無足輕重了。

從某方面來說，倫敦能夠起死回生，是拜美國發生的兩件事之賜，這兩件事都是在甘迺迪當總統時發生的。在古巴飛彈危機時，俄羅斯國家銀行（Russian State Bank）擔心自己的美國帳戶遭到凍結，就把外匯準備移到倫敦，但是俄國人希望以美元的形式，持有這些外匯，於是歐洲美元（Eurodollar）就誕生了，歐洲美元變成一種跨國貨幣，形式是美元，但停留在倫敦。不久後，美國政府愚蠢地對支付給外國人的利息開徵一種懲罰稅，一舉摧毀了蓬勃發展的紐約外國債券市場，這個市場逃離美國，催生了歐洲債券（Eurobond），這些債券大都以美元表示，但在倫敦停留和控制。

這些事件只是創造了一個機會，而倫敦銀行家、尤其是華寶公司（S.G. Warburg）抓住了機會，華寶雖然是在一九三〇年代，才由兩位德國難民創立，但它在一九五九年，就開始融通併購案件所需的資金，把企業融資這種銀行業務帶到倫敦。而過去七十五年來，這種企業融資一直都是美國人的專長。（由摩根在一八八〇年代開創）

但是倫敦能夠浴火重生，恢復金融中心的地位，關鍵因素是恢復了類似十九世紀的地位，也就是作為世界各國金融機構的總部。十九世紀的倫敦金融區是早年德國移民納森．羅斯財（Nathan Rothschild）的傑作，他在拿破侖戰爭之後，發明了資本市場，利用在倫敦承銷和發行債券，並在倫敦證券交易所進行交易，融通歐洲各國和新獨立的拉丁美洲國家政府所需要的資金，很快的，很多移民模仿他的作法，包括德國的施洛德（Schroder）、挪威的韓氏兄弟（Hambros）、法國的拉薩德（Lazard）和美國的摩根等等。

這些新來的人通常會設立英國公司，很多人也變成英國人，他們跟英國一些歷史悠久的本土「商人銀行」（merchant bankers），例如一七七〇年，由德國移民之子創立的霸菱銀行（Baring Brothers），合力在倫敦創造了真正的全球金融中心。

吸引這些移民的，不光是因為英國是十九世紀最大的貿易國，也是因為倫敦很快成為世界最先進的金融知識中心，就像華特．巴傑特（Walter Bagehot）在一八七三年

的巨著《倫巴底街》（Lombard Street）中指出的一樣。這點大致上也是羅斯財的發明和遺產，羅斯財家族的五兄弟各自鎮守在歐洲不同的金融中心，而五個人以納森為執行長，像一家公司一樣密切合作，他們是早期的「企業內部網路」（intranet），其著名的信鴿就是現代所謂的「電子郵件」，即使世事變化無常，倫敦金融區仍是全球企業、金融與經濟事務的知識中心，也就是這種跨國知識中心的地位，在一九六〇和一九七〇年代，再度吸引「金融移民」從世界各地來到倫敦。雖然就法律而言，這些位於倫敦的公司是美國、瑞士、荷蘭或德國母公司獨資擁有的子公司或分公司，但在經濟實務上，這些子公司通常是獨立的，而且大致上擁有自主權，也就是所謂的「總部」。你在華爾街常常可以聽到一種說法，無論是高盛（Goldman Sachs）還是花旗銀行的紐約總公司，基本上都只關心美國國內的業務，公司的國際業務主要由倫敦主導。

大規模的轉變

然而，倫敦金融區重獲新生，只是過去四十年金融服務業成功故事裡的第一章，金融服務其實是一種新產業，雖然被很多大公司古老的名稱所掩蓋，這些名稱甚至是十九世紀的名字。不過，一九九九年的高盛和一八九九年、一九二九年甚至一九五九

年的高盛大不相同，摩根銀行、美林公司（Merrill Lynch）、第一波士頓公司（First Boston）、花旗銀行、奇異資本（GE Capital）或歐美任何一家大公司也一樣，這些公司甚至在一九五〇年，都還是國內企業。

我在一九三〇年代中期首次從英國到美國，當時紐約最大的銀行中，只有製造商銀行（Manufacturers）和保證信託公司（Guaranty Trust）兩家銀行——這兩家公司在很久以前，就因為併購而消滅了——有一位負責外國事務的經理人，他們甚至還不是副總裁，這兩位「助理國際副總裁」的唯一工作，就是發信用狀給美國出口商，並提供外匯給進口商，除此之外的任何事都要交給在外國的「聯行」辦理。

連當時設有國外分行的少數金融機構，如德意志銀行（Deutsche Bank）以及花旗銀行前身在南美設立的分行，主要都是用這些「分行」，來服務國內的客戶。一九五〇年代初期，花旗銀行的前身設在南美的最大分行的經理告訴我，「我們的首要工作是服務美國企業，就像美國運通（American Express）服務美國觀光客一樣。」

但今天這些公司全都已經全球化，他們跨越國界，無所不在，所有主要的企業重鎮都可以看到這些公司的蹤影，它們本身就是總部。現在的任務不再是為母公司的本國顧客服務，而是各自在其所處國家裡，成為國內和國際業務的大公司。

金融業務本身同樣出現劇烈的變化，這些金融服務機構和一九五〇年代典型的金

融業不同，它們既不是商業銀行，也不是投資銀行，不是商人銀行，也不是證券經紀商，有些金融機構仍然提供傳統服務，但是很少有金融機構努力推廣這些業務。事實上，在不久以前，今天主要的金融服務產品根本還不存在，例如合併案、併購案與撤資案（divestitures）的管理和融通——不論它是友善的併購還是敵意併購，還有世界性的設備租賃融通、製造業與商業公司全球擴張的融資等等。世界貿易與投資創造了龐大的外匯業務，過去沒有任何業務和這種業務有一點相像。

一九六〇年代初期，倫敦金融區重生，開啟了新的金融服務業，一九七〇年代以後，這個新金融業被推廣到世界各地，不過，這個行業雖然十分成功，但若要在二十一世紀繼續繁榮，就得重新創造。助長新金融業成長的產品，最早是歐洲美元和歐洲債券，現在這些產品不再能維持新金融服務業的成長，這些四十年前的創新產品，現在已經變成「大宗商品」，這意味著，即使它們不是毫無利潤，利潤也愈來愈薄，每一個交易似乎都有很多人競爭，奪得交易的公司可能會賺很多錢，只是費用也很高，至於其他公司，就只會有費用而已。因此愈來愈多大公司的收入——不論美國、德國、荷蘭還是瑞士的公司——不再來自為顧客提供服務所收取的費用，而是來自公司的自營交易，也就是用自己的資金操作股票、債券、衍生性金融商品、外匯與商品交易。

每家金融服務公司都必須做些自營交易，管理公司自身的財務已經變成例行公

事，目的是儘量降低風險，也就是彌平債務與資產到期日之間的差距，除了這一點之外，公司自營交易中的一部分，可能有利潤，也應該有利潤，同時風險會降到最低，這只是利用公司的市場知識而已。但是，若公司把自營交易變成主要活動時，這種操作就不再是「交易」，而是變成了「賭博」，不管賭客多聰明，機率法則不僅會讓賭客把贏來的錢全部輸回去，還會輸掉很多另外的錢。

這種情形在主要的金融機構已經發生了，現在幾乎每家大公司都申報龐大的「交易損失」。損失大到造成公司倒閉的事情也屢見不鮮，霸菱銀行就是個例子，霸菱銀行是最古老、最受尊敬的倫敦私人銀行，目前倖存下來的部分已經變成荷蘭某金融集團的一部分。同樣的交易損失也迫使紐約信孚銀行（Bankers Trust），把自己賣給德國德意志銀行，而在不久前，信孚還是一家最受尊敬的國際銀行。很多日本金融巨擘在龐大的交易損失後（例如，在銅商品投機發生驚人虧損的住友商社，）之所以還能生存下來，完全是因為日本政府和企業聯手救助，但即使如此，也還是有無法挽救的鉅額虧損，日本四大證券商之一的山一證券就是一例。

在每一件這種交易損失中，公司的最高階經理人都宣稱，他們對這種賭博毫無所知，從事這種賭博的交易員違反了公司規定。但首先我要說的是，巧合總是有個限度，違反規定的情形這麼普遍，不能歸咎為「例外」，而是代表系統失靈。在每一件這

種「弊案」中，只要交易能夠產生利潤，或至少假裝能夠產生利潤時，最高經理人都會視而不見，而在虧損變得大到再也無法遮掩之前，從事賭博交易的員工常是公司的英雄，且獲得很多金錢報酬。

除非業者提供給客戶和外部顧客的服務能夠收到費用，否則沒有一種產業能夠生存下去，更不要說欣欣向榮了。但金融業者在從事自營交易時，所謂的顧客是從事自營交易活動的其他金融公司，因此那是一種「零和遊戲」，一家公司獲利，代表另外一家公司虧損，沒有第三者支付雙方的費用。

還有一個地區，可以讓目前的金融服務業獲得真正的成長，這個地方就是日本。日本的金融體系仍大致維持一九五〇年以前的狀態，徹徹底底的過時了，它現在慢慢開放外國人進入日本市場，提供現代金融服務，每次日本人讓外國人進入，外國人——主要是美國人，但也有德國人、法國人和英國人——都能迅速經營成功，成為市場領導者。外國公司也逐漸獲准為日本的退休基金和保險公司，處理在日本以外的投資，而且或許很快就能獲准成為日本退休基金的經理人。美國的美林公司因為買下山一證券，現在可以同時服務日本的散戶和機構投資人。

對於以目前這種形式存在的金融服務業，日本可能是「最後一塊福地」，未來幾年內，隨著遠遠落在美國之後的歐洲與亞洲同業加速改革，現有金融服務產品的需求可

能會成長。但即使如此，業界的利潤也不可能恢復到從前的水準，傳統的產品和服務已經出現太久了，精通這種產品和服務的人才與企業都供應過剩，不同的金融服務公司能夠提供的東西，愈來愈沒有區隔，顧客知道這一點，因此逐漸開始到處尋找最有利的交易。

創新的時代

金融服務陷入困境的原因很簡單，三十年來，主要的金融服務機構都沒有做出任何一種創新。

從一九五〇到一九七〇的二十年間，創新一件接著一件，歐洲美元和歐洲債券中是其中兩種。機構投資人則是另一種，一九五〇年，第一個現代退休金基金——通用汽車基金創立，創造了機構投資人，引發真正的退休基金熱潮，也把當時仍處在邊陲的共同基金，變成核心金融機構。幾年之內，這個熱潮促使第一家專門服務新機構投資人的公司成立，就是紐約的帝傑公司（Donaldson, Lufkin & Jenrette）。大約在同一時間，後來擔任美國駐法國大使的羅哈定（Felix Rohatyn），則為私人銀行家開創了新的角色——擔任併購、尤其是敵意併購的發動者和經理人。

一九六〇年也發明了信用卡，現在信用卡無所不在，已成為「法定貨幣」，在已開發國家尤其如此，而商業銀行之所以能繼續生存，大致上是靠信用卡，因為他們大部分的傳統商業貸款業務，已經被新的金融服務機構奪走。剩下的兩種創新，都是一九一九年生的李斯頓（Walter Wriston）在一九六七年接任花旗銀行董事長之後創造的，他幾乎立刻把花旗銀行從擁有外國分行的美國銀行，轉變成擁有多個總部的全球性銀行。他的真知灼見「銀行不是跟金錢有關的業務，而是跟資訊有關的產業」，在幾年之後為金融服務業創造了我所說的「業務理論」。

從那時候起，經過了三十年，唯一的創新是所謂科學的「衍生性商品」（derivatives）。但設計這些金融工具，不是為了提供服務，而是要讓交易員在從事投機時利潤更高，同時降低風險。事實上，衍生性商品根本行不通，不會勝過好賭成性的賭徒為了擊敗蒙地卡羅（Monte Carlo）或拉斯維加斯（Las Vegas）賭場，所設計的「科學系統」，很多交易員已經發現這一點。除此之外，金融服務業就只有小小的改善，在已經做得相當好的事情上，做得更好一點，業界的產品已經變成大宗商品，利潤愈來愈薄，銷售成本愈來愈高。

這種情形當然是經濟理論和經驗可以預測到的，事實上，金融服務業所走的道路，正是兩種古典創新理論中的典型例子，一種是法國經濟學家賽伊（J.B. Say）在一

八〇三年出版的巨著《政治經濟學理論》（Traité de l'économie politique），一種是奧地利裔美國人熊彼得（Joseph Schumpeter），在一九一二年的巨著《經濟發展理論》（Theorie der Wirtschaftlichen Entwicklung）中提到的。

賽伊解釋了為何在工業革命開始的時候，採用新發明的棉紡機和蒸汽機的棉紡廠不會嫌太多，且所有棉紡廠的利潤都非常豐厚。他認為這種發明在開始時會自行創造難以滿足的需求，因此在初期，工廠的數目愈多，愈能為所有工廠創造更高的利潤。而熊彼得則在一個多世紀之後，解釋了這種階段不可能長久延續下去，原因很簡單，「創新者的利潤」很高，會快速吸引太多人模仿，此後，即使需求仍然維持很高的水準，這個產業也會從產銷高利潤產品與服務的行業，變成產銷沒有利潤的大宗商品的行業。

金融服務業現在可能只有三條路可以走，最容易、通常也最多人走的路，是繼續做一些過去行得通的事情，然而，這條路表示穩定的衰微，這一行或許可以繼續生存，畢竟現在還是有很多棉紡廠。但是，不管業者多麼努力，都會不斷走下坡。

第二條路是整個產業被創新的外人和後起之秀取代，這就是熊彼得所說的「創造性毀滅」（creative destruction）。三十五年前，倫敦金融區發生的情形基本上就是這樣，一九五〇到一九六〇年代期間，除了羅斯財和施洛德公司外，金融區中的主要公

司，包括華寶在內，沒有一家還掌握在英國人手裡，所有公司都變成外國企業獨資的子公司，掌握在美國、荷蘭、瑞士、德國和法國企業手中。

對今天的金融服務業來說，第一條路絕對走不通，世界的變化太多了，社會、經濟、科技和政治的變化，不會放過老病纏身的大型產業，只要從掙扎求存的大公司，尤其是從偏愛交易，忽略原有正常業務的大公司手中，奪取一部分利潤豐厚的業務，就有太多錢可以賺了，而且在網際網路的協助下，外人只要能夠推出真正不同的新東西，就很容易打進這種行業。

選擇第二條路可能會在相當短的時間內，被外界的創新公司取代，這是今天的公司可能遭遇的命運。但還有第三條路，也是最後一條路，即追求自行創新，成為自己的「創造性毀滅者」。

高利潤的金融商機並不少，事實上，最大、獲利最高的機會根本不需要創新，只需要努力工作。機會就潛藏在人口結構裡，是在已開發和新興市場國家，針對快速成長的老化富裕中產階級，提供不同的金融服務。這些人不是「富翁」，因此，對於傳統的金融公司而言，不是有吸引力的顧客，然而，他們個別購買的金額雖然相當小，每年每個家庭很少超過三萬到五萬美元，但他們的投資金額加總起來，就是世上所有「超級富豪」，包括產油國酋長、印尼王侯和軟體億萬富翁所有財產加起來的好多倍。

愛德華．瓊斯（Edward Jones）三十年前發現這個市場，當時他在密蘇里州的聖路易開設一家毫無名氣的地方小經紀公司，他發現這個市場後，決定放棄其他業務，專門服務個別的中產階級投資者，包括小企業主、中階經理人、成功的專業人士等等，凡是不適合這個團體的東西都不銷售。愛德華．瓊斯公司現在是美國大型的全國性公司，而且一直獲利豐厚，該公司的擴張證明了這個市場並不局限在美國，幾年前，這家公司擴張到英國，在倫敦附近的小城市開設辦事處。雖然公司完全不為人知，且對企業、對投資和顧客而言，公司採用的營運方針又很新穎，即使到現在也還是很新穎，卻能立刻得到熱烈的迴響。

在每一個已開發和新興市場國家，愛德華．瓊斯公司服務的顧客，都是成長最快的人口階層，除了北美之外，包括歐洲所有國家、拉丁美洲人口最多的國家、日本和韓國，也包括中國大陸的都會地區，其人數接近世界人口的一半。

到了二十一世紀，這個市場可能取代世界第一個金融「大眾市場」的人壽保險業，人壽保險業靠著提供財務保障，對抗十八和十九世紀太快死亡的重大風險，成為這個世紀最大的金融行業，其在世界各地的獲利與成長歷時一百五十多年，到一九一四年為止。提供財務保障，對抗死得不夠快的新風險，很可能成為下一世紀獲利最高的金融業。

這裡還有一個尚未成型的例子，就是為中型企業擔任「委外」財務經理人。除了日本和南韓，中型企業主宰所有已開發國家，也主宰新興市場經濟體，不論是拉丁美洲還是臺灣。八萬家中型企業是德國經濟的骨幹，同樣也是美國、法國、荷蘭、義大利、巴西和阿根廷經濟的骨幹。

就產品、科技、行銷和顧客服務而言，中型企業通常都擁有必要的經濟規模，但是在財務管理上，很多中型企業，而且可能是大多數中型企業，都沒有足以競爭的規模。例如他們營運時，資本生產力通常都低得可憐，不是現金太少，就是現金太多，愈來愈多中型企業委託其他公司管理資料處理與資訊系統、清潔整理、例行人事管理，甚至一大部分的研究與產品發展。中型企業還會等多久，才會準備委託外界管理業務資金？

做這類工作的工具已發展完成，包括經濟價值分析（EVA）、現金流量預測和現金流量管理。這些財務管理的需求是可以預測的，在世界各國，這種需求都限於少數幾種類別，所有經驗豐富的商業銀行家，都很清楚該怎麼做。設立一家針對中型企業，提供財務管理服務的公司，其報酬可能非常驚人，它不光是可以賺取費用，把顧客財務需要「證券化」，也可以帶來豐富的利潤。所謂的「證券化」就是把財務需求轉變成投資產品，對於老化的中產階級「散戶」投資者，這種產品應該特別具有吸引力。

新金融服務的潛在商機還有最後一個，就是保障企業對抗慘重外匯損失的金融工具，意即把外匯風險，變成正常的營運成本，這種產品溢價固定，可能的溢價不超過公司外匯部位的百分之三到百分之五，是企業負擔得起的。這種工具半是保險、半是投資，創造這種工具所需要的大部分知識，也已經發展完備，包括決定所需樣本規模與風險組合的精算概念、風險管理的知識、以及辨認高風險貨幣的經濟知識與資料等等。

這種需求十分迫切，而且大致是中型企業的需要。數量驚人的中型企業突然發現，自己身陷混亂的全球化經濟中，除了特別大型的公司之外，沒有一家企業能夠獨力對抗這種風險，只有匯集眾人的力量，用機率壓倒風險才是可行之道。這種金融服務公司，應該也能夠把自己的投資組合「證券化」，因而為新的金融零售市場，創造具吸引力的投資工具。

這些只是例子，仍然是空中樓閣，只有已經存在、為富裕老人服務的零售市場是例外。然而，要是能夠發展出這種新事業，對於現有金融服務機構可能會造成驚人的衝擊，例如中型企業財務管理委外服務，或許會在一夜之間，把奇異資本之流的金融服務公司一大部分獲利最高的業務一掃而空。可怕的外匯風險如果能夠保險，同樣可能使現有金融機構的大部分外匯業務成為過去，他們狂熱的外匯交易和衍生性金融商

品投機，就更不用說了。

中產階級投資市場被人輕視二十五年後，一些傳統的美國金融服務機構已開始接受這個市場的存在和重要性，例如美林公司就已積極打進這個市場，當然，這能不能成功，還有待觀察。很可能出現的情形是：就像在其他許多零售業務一樣，要在這個市場中成功，需要全心全力的投入；而美林公司採取兼容並蓄的方法，為這個明確的金融市場提供金融服務，同時提供很多其他大致傳統的金融服務。

這個市場畢竟已經有三十年的歷史了，但在這個市場之外，沒有任何跡象顯示，有哪家大型全球金融服務公司在試驗這種潛力龐大的新事業，或者實驗任何可能是創新的東西，這些新事業需要長年耐心、盡責的辛苦工作，跟目前似乎主導主要大型金融服務公司的交易員心態不合。但是很可能在什麼地方，已經有什麼人，在研究這一類的新金融服務，而且幾乎可以確定的是，這種服務一旦推出，將會取代今天的金融服務，或者讓這些服務變得毫無利潤。

對現有的大型金融服務公司來說，現在重新創新可能還不算太晚，不過確實也已經很晚了。

（一九九九年）

第十章

超越資本主義？

這篇專訪由《新觀點季刊》（New Perspectives Quarterly）總編輯納森・賈德爾（Nathan Gardels）負責，專訪地點在作者的加州克萊蒙辦公室，專訪是根據作者指定的主題和專訪者的問題，由作者自行編輯專訪者的草稿，寫成最後的文字，刊在一九九八年春季號的《新觀點季刊》上。

《新觀點季刊》：最近一些最熱心推展資本主義的人，像你和金融家喬治・索羅斯（George Soros），開始對資本主義發出嚴厲的批判。

你的批評是什麼？

杜拉克：我主張自由市場，雖然自由市場運作得不太好，但其他根本行不通。我對資本主義制度有嚴重的保留，因為資本主義把經濟偶像化，把經濟當成一切目的，這樣只有一種面向。

例如，我經常建議經理人，說二十比一的薪資比率是極限，如果他們不希望怨聲載道，讓公司士氣低落，就不能超越這個極限。我在一九三〇年代時，就擔心產業革命造成的嚴重不平等會使大家絕望，讓法西斯主義之類的東西站穩腳跟，不幸的是，我說對了。

今天，我相信在社會和道德上，經理人自己牟取驚人的利潤，卻開革工人，是不

可原諒的事情。整個社會會因為輕忽中階經理人和工人之間的岐異，而付出沈重的代價。

簡單的說，身為人類的意義以及被當成人來看的整個層次，沒有被包含在資本主義的經濟理念中，這麼短視的制度主宰人生的其他層面，對任何社會都不好。

至於市場方面，資本主義理論本身有一些嚴重的缺失。

首先，資本主義理論假設只有一個同質性的市場，實際上卻有三個互相重疊的市場，也就是國際貨幣與資訊市場、國家市場和地區市場，這三個市場大致彼此互不交流。

跨國經濟資金的流通，大部分當然只是虛擬的資金。

以美元計算，倫敦的銀行同業拆放市場每天的交易量，超過融通全世界一年經濟交易所需的金額。

這些都是沒有效用的資金，沒有購買力，不可能賺取任何報酬。這些完全是投機性的資金，它們到處流竄，賺取一個百分點的最後六十四分之一的利潤，很容易造成恐慌。

此外，還有很大一部分的國家經濟，不受國際商業左右，美國的經濟活動中，大約有百分之二十四暴露在國際貿易中，日本只有百分之八。

另外還有一種地區性經濟，我家附近的醫院，醫療品質非常高，很有競爭力，但是，這家醫院跟四十英里外洛杉磯的任何醫院都互不競爭。在美國，醫院有效的市場範圍大約是十英里，這沒什麼經濟上的原因，大家都希望住在生病的媽媽家附近。

而且，推動市場的力量已經改變，在這個世紀的某一時間，經濟重心已經移轉。十九世紀時，鋼鐵和蒸汽機是重心，供應會產生需求。然而，大蕭條以後，情勢已經轉變，在傳統產品中，從建築物到汽車，都必須先有需求，才有供應，然而，今天在資訊和電子方面並非如此，資訊和電子會刺激需求。

在這個市場定義之外的大問題是：市場理論的基礎是一種均衡的假設，因此無法適應變化，更別說適應創新了。

實際情況就像熊彼得早在一九一一年就看出來的情況，經濟活動的形態是「移動的不均衡」（moving disequilibrium），這種不均衡是由創造性毀滅的過程造成的，新市場、新產品和新需求被創造出來後，就犧牲了舊的東西。

因此，市場結果不能用資本主義理論的預測方式來解釋，市場是無法預測的，它天生具有不穩定的性質。如果市場不能預測，你的行為就不能以市場為基礎，就一個跟人類行為有關的理論來說，這是相當嚴重的限制。

我們所能說的是，到最後，任何長期均衡皆是對市場訊號做出的眾多短期因應的

整體結果。

這就是市場力量，市場是短期的規範，它透過價格，提供回饋，阻止你像亞瑟王的騎士一樣，向所有方向前進，徒然浪費時間和資源。

舊觀念告訴我們，如果你騎馬的時間夠長，你一定會碰到些什麼，而市場告訴你，如果你五星期內沒有碰到任何東西，你最好改變路線，或改做別的事情。

在短期之外，市場毫無用處。我為大公司進行的研究規劃，已超出我應有的限度。基本上，這種活動是一種信賴的行為，每次財務長問這個計畫或那個計畫「報酬率有多少」時，唯一的答案是，「我們十年內會知道。」

很多年前，你在文章中提到，退休基金（透過持股）掌控了美國的經濟，你把這種現象叫做「沒有資本家的資本主義」，工人的退休基金擁有生產工具。

今天，透過共同基金的爆炸性成長，使財富進一步分散，百分之五十一以上的美國人擁有股票。

我們是否已經來到大眾資本主義或後資本主義時代？

用後資本主義來稱呼，只能說我們不知道該如何稱呼這個現象。

你也不能把它稱為經濟民主化，因為社會並沒有隨著這種大眾擁有的所有權，而出現一種有組織的治理形式。

可以確定的是，這是歷史上從來沒有過的全新現象。

我的園丁不是有錢人，他每星期從我家後門，把我留給他的《華爾街日報》（Wall Street Journal）「貨幣市場」（money markets）那一落拿去，做為他股票投資的指引。

我有一個朋友，在有兩百萬客戶的地區性金融服務公司工作，他最近告訴我，他管理的共同基金裡，一般投資人的投資金額已經從每年一萬美元，增加為二萬五千美元。

資本家不再重要或許已是事實，在早年崇拜富人的時代，曾有一些非常強烈的說法，不是說「我們需要富人協助資本形成」，就是說「富人只是在剝削我們。」你現在不再聽到這兩種說法了。

摩根以前對美國經濟至為重要，在他的巔峰期，其擁有的流動資金，足以融通美國的所有資金需求達四個月之久。

經過通貨膨脹調整後，摩根所擁有的資產，可能大約是比爾．蓋茲今天資產的三分之一少一點，這麼龐大的財富由一個人控制，是自中國的大汗時代以來，從來沒有過的事。可是，蓋茲的四百億美元，只能融通美國的經濟活動不到一天。

蓋茲之所以重要，是因為他建立的微軟公司和我們使用的軟體，若單純以富豪來看，他根本無足輕重。他如何花用和浪費自己的錢，對美國經濟毫無影響，那只是美

國經濟的九牛一毛。

今天，在美國，真正有影響力的財富，掌控在幾千萬個小投資人手中。

歷史上，國家社會主義無法創造財富，也不能有效地提供社會服務，可是資本主義忽略生活中的其他層面，只注重經濟交換。如同你說的，市場只是短期的東西，那麼，社會長期要如何管理？

我們現在知道自己需要三個部門了，除了政府和企業，還要大家現在稱為公民社會的第三個部門。

我相信，在社會主義錯覺和純粹的市場經濟之外，確實有另一個合乎實際的選擇，可以把退休金和共同基金造成經濟所有權分散的現象，和非營利性質的「第三」部門，結合在一起，以便應付所有的社區需求。

我有一些共和黨的朋友，認為我們不能沒有政府，這種想法雖然十分愚蠢，卻是可以理解的反應。戰後的信念是，政府可以照顧社區的所有需要。

但是，我們已經知道政府像所有的工具一樣，善於做某些事，卻做不好另一些事。例如，在共同防衛以及透過租稅籌募基本建設所需的財力方面，政府很重要。

不過，希冀政府滿足社區需求，就如同我想拿鐵錘把腳指甲敲下來，不可能做得很好，這方面政府力有未逮。國家所做的一切，必須在國家的層次上做，國家不能拿

社區特有的狀況做實驗，也無法適應地方上的狀況。

國家通常採用標準的方法，去界定一個問題，然後獨占解決之道。但是在聖路易行得通的方法，通常連堪薩斯市都行不通，更不要說在紐約或洛杉磯了。

市場只有一個動機，就是追求利潤，根本沒有興趣或能力應付社會問題。

大家都認為我主要是企業的管理顧問，但五十年來，我其實花了很多時間擔任非營利組織的顧問。十五年前，向國稅局登記的免稅非營利團體只有三十萬個，包括一些著名團體，像美國心臟協會（American Heart Association）和美國肺臟協會（American Lung Association），但今天，非營利機構超過一百萬個。

我也協助設立了一個基金會，推行非營利機構的管理，由美國女童軍組織以前的一位全國理事主持。我的構想很簡單，非營利機構不是管理不善，而是根本沒有管理，因為沒有市場力量在規範他們，他們需要明確的使命和成果導向，以作為管理的底線。

我們的基金會碰到的問題之一，就是遍布世界各地的國家，像日本、巴西、阿根廷和波蘭，都有極為龐大的需要，這些國家迫切需要社會部門，從建立看護協會，建立受虐婦女之家，到在巴塔哥尼亞高原（Patagonia）之類的地方，推行農民的種植教育。

為什麼社會部門在日本會成長，日本不是擁有力量極為強大的社區嗎？

有兩件事正在發生，第一，傳統的社區結構正在崩潰。第二，受過教育的婦女工作幾年後，辭職去生小孩，等到小孩開始上學，這些婦女的生活就變得很無聊。

日本有什麼社會問題？在日本，你年齡到達五十五歲後，基本上就被人丟在垃圾堆裡了，即使你很可能再活三十年，也是如此。因此老人組織各式各樣的俱樂部，從運動到插花都有，為的是讓自己有事情做。

日本新社會部門的團體中，最成功的一個團體做的事情，反倒最沒有日本味道，它為不能出門的老人「送食物」到家。

年輕人再也不照顧老人了，可是政府反對食物宅配的計畫，因為這表示政府必須承認自己國家的老人日子過得不好，的確，這是日本榮譽上的污點，不過卻是事實。

青少年和學齡兒童上下學接送的需求也龐大之至，此外，監督他們做功課，為功課不能達到最高標準的學生補習，也一樣有龐大的需求。

日本以外的人似乎都不知道，雖然百分之二十的日本學生表現傑出，其他學生卻根本被大家遺忘了。社會部門嘗試協助這些小孩。

日本婦女還有英語會話和閱讀班，這些婦女在高中或工作時學了一些英文，希望能夠維持下去，這種班級現在有十八萬五千個，連小城鎮都有。

日本甚至有匿名戒酒協會，我不知道這個協會現在的規模有多大，但有一陣子看起來，日本每一個領薪水的男人似乎都有可能成為會員。

不過，美國社會問題的規模太大了，這根本無法靠義工團體解決，不是嗎？

不盡然如此。但是義工活動的規模的確十分驚人，超過一半的美國人，每週至少在某個義工團體、教會或社區裡，做四小時的工作。

為了解決社區問題，他們想出一些極有創意的方法，這麼多年來，我學到一個很重要的教訓，解決社會問題的實際範例非常重要，讓其他人可以模仿照辦。

因此，杜拉克基金會（Drucker Foundation）每年都頒獎給一個義工團體，表揚他們的範例，以便別人可以模仿。

有一年，我們頒獎給一個規模很小、由移民組成的團體，他們找出方法，把情況最不好、最沒有生產力、接受社會福利救助的媽媽，和殘障兒童聚集在一起，這樣殘障兒童就有人照顧，久而久之，那些媽媽就有資格從事專職工作，同時得到很好的待遇。

我們表揚過的另外一個計畫，是由聖路易的一所信義會（Lutheran church）主辦的，他們在自己的教區裡，發現大約五分之二無家可歸的人，其中大部分是家庭，只要很少的協助，就能自立自強。

這家教會做的第一件事情，就是評估這些家庭最迫切需要的東西，答案是自尊。因此，教友購買荒廢的房子，找義工重新裝潢，把房子變成中產階級舒適的家，然後讓無家可歸的家庭搬進去，這改變了這些家庭對生活的展望。然後，指定的教友會協助這些家庭，支付日常生活所需要的費用，同時幫他們找工作。最後，其中大約百分之八十的家庭，可以永遠擺脫任何形式的救助。

另外還有一些組織，例如女童軍組織，參與人數也達到了新的高峰，幾年前，他們的義工人數降到大約五十萬人，今天，已經增加到大約九十萬人。過去，義工經常是在家閒得發慌的中產階級家庭主婦，新義工則常是延後生小孩的職業婦女，她們在男性環境裡工作一整個禮拜後，週末喜歡跟小女生在一起。

過去二十五年的大部分時間裡，我跟快速成長的美國新教超大教會（Protestant megachurches）合作，我相信，這是今天世界上最重要的社會現象之一，他們推廣社區活躍主義（community activism），鼓勵大家採取行動，改善別人的生活，讓信仰生活化。

從某些方面來說，傳統的教會可能正在死亡，但若以其他觀點來看，教會則在轉型。

以美國天主教會為例，教宗若望保祿二世（John Paul II）一直很小心的，在美國

天主教會裡安排保守派的主教，因為美國天主教會的情勢讓他害怕，怕的倒不是神學問題、神父結婚和婦女擔任聖職，而是擔心另一種沛然莫之能禦的趨勢，就是主教區活動是由平信徒帶領，不受主教控制。

我知道中西部有一個比較大的主教區，過去有七百位神父，現在只剩下不到二百五十九位，幾乎已經沒有修女了，但是有兩千五百個俗人婦女，每個小教區都有一位俗人管理人員是女性。

神父所做的只是主持彌撒和施行聖事，婦女完全以義工身分，負責其他事情，比起有女輔祭的日子，這差別太大了。

和其他國家相比，包括西方國家，為什麼美國有這麼龐大且有活力的第三部門？

其他國家的非營利部門活動，其規模遠遠不如美國，因為基本上，在其他國家，現代民族國家的公務員摧毀了社區部門。

在法國，在社區裡做任何事幾乎都是犯罪，英國在維多利亞女王（Victoria）時代，擁有相當大的義工部門，處理窮困、犯罪、娼妓和住宅問題，但是到了二十世紀，福利國家幾乎把這個部門摧毀了。

在歐洲，其根本的鬥爭是把國家從教會的控制中脫離出來，這說明了為什麼歐洲大陸有這麼龐大的反教權傳統。

美國的情形正好相反，一七四〇年左右，約拿旦．愛德華茲（Jonathan Edwards）提出政教分離主義時，是要把教會從國家的控制中脫離出來，反教權主義在美國根本沒有地位。

因為這種自由，美國發展出宗教多元化，以及教會跟政府毫不相關的傳統，而且因為宗教多元化，不同的教派要競爭教友，其他國家缺乏的社區參與傳統，就是從這種競爭中發展出來。

除了傑佛遜（Jefferson）設立的維吉尼亞大學（University of Virginia）之外，在一八三三年歐柏林學院（Oberlin College）設立之前，美國所有大學都隸屬各個教派。

論亞洲危機

我對亞洲經濟困境其實不是這麼感興趣，因為凡是能夠用錢解決的事情，都不可能是大問題，除非你很笨。

亞洲人不笨，基本上，亞洲危機不是經濟危機，而是社會危機，整個亞洲社會都很緊張，讓我想起在我年輕時陷入兩次世界大戰的歐洲。

我們從很多方面認為，亞洲的緊張狀態和歐洲類似，是「大動盪」的結果，起源於大規模的工業革命和隨之而來的都市化，只是亞洲的動盪出現的速度快多了。

一九五〇年代，我第一次聽到韓國的時候，該國百分之八十是農村，幾乎沒有一個人受過高中以上的教育，因為殖民的日本人不允許。（只有基督教會學校可以正常運作，因為日本人無法壓制這類學校，這說明了為什麼百分之三十的韓國人是基督徒。）

當時韓國沒有工業，因為日本人不允許任何人擁有多位員工。

今天的韓國將近百分之九十是城市，是工業大國，人民教育水準很高，這一切都是在四十年內完成。

只花四十年的時間，這樣的快速發展，自然造成爆炸性的混亂。

韓國企業家的愚蠢無與倫比，更加重了這個問題，韓國企業家根本沒有向鄰國的日本人學到如何對待工人。日本人在一九四八年和一九五四年，經歷兩次幾乎讓政府倒臺的血腥罷工，好不容易才學會把人當人看。（似乎沒有人知道日本早在西元一七〇〇年，就經歷過世界最嚴重的勞工動亂。）

外國人訪問韓國的電子工廠時，要是有一位生產線的女工居然敢抬頭看的話，就會因為沒有專心工作，被帶出去痛打一頓。

韓國的專制企業家不但對待工人很惡劣，也控制公司所有的金錢和權力，其對待中階經理人的方式，就像美國在種族隔離時代，對待密西西比州的黑人小學教師一樣。

另外，這些專制企業家還跟軍方聯手，維持自己的權力，壓制工人。現在金大中上臺，這種情況終於改變了，卻已經在韓國企業和工人之間留下深刻的仇恨。

在馬來西亞，雖然政府經過多年努力，占人口百分之七十的馬來人和百分之三十的華人之間，仍舊十分緊張。

馬哈迪（Mohamed Mahathir）總理曾要求我提出建議，告訴他如何讓馬來小孩留在學校裡，因此我走訪了一些鄉村，我發現農作物都長得很好，煮食香蕉（plantain）、一般香蕉、椰子和蘋果都很容易生長，村民還養豬和雞，不費吹灰之力就可以吃飽。如果他們一年只需工作幾小時，就可以賺到足夠的錢買一台電視機和一部機車，他們還求什麼？唸完小學三年級之後，為什麼還要留在學校裡？

相形之下，馬來西亞的華人唸完小學三年級之後，不但繼續留在學校裡，而且還到美國讀研究所，他們的英文跟馬來人說的一樣好，還懂三種中國方言。

因此他們的控制力量很大，大到超過馬來西亞領袖所願意承認的地步，而為此遭

到忌恨。

報導經常指出，華人只占印尼人口大約百分之三，印尼有二億人口，其中一億人並不住在爪哇島上，這點在統計上是正確的。不過，更具意義的事實是，華人在三大城市，包括雅加達，占人口的百分之二十以上。

總而言之，因為在一九六〇年代的奪權鬥爭當中，有五十萬華人遭到殺害，他們知道必須跟軍方和軍方的頭子蘇哈托站在一起，所以華人替蘇哈托家族和軍方賺錢，而回教徒深深痛恨這一點。

整體而言，海外華人已經變成世界經濟的龐大勢力，所到之處都擁有企業，經常變成當地的專業階級，對領導階層有影響力。除了全由華人組成的新加坡、臺灣和香港之外，華人到處受人忌恨。

從一七〇〇年開始，中國每隔五十年，都會發生一次農民暴動，最近這一次則由毛澤東領導，在一九四九年成功的推翻國民政府。

若從歷史的演進來看，另一次暴動的時間已經成熟，問題到今天仍是一樣，有太多失業或找不到工作農民無處可去。

有人估計，今天有多達二億的農民成為「盲流」，四處流竄，他們尋找工作，卻不可能找到工作，如果中國政府認真行事，關閉沒有效率的國有企業，另外八千萬到一

億人民會流落街頭。

或許歐洲的法西斯主義和戰爭的歷史使我變得過於保守，但是我從個人的經驗得知，當社會陷入高度緊張時，不需要多少東西，只要一次意外事件，就會引爆問題。

因此，我為亞洲擔心。

論日本

亞洲的領導強權是日本，但日本基本上是一個歐洲國家，更糟糕的是，日本是傳統的十九世紀歐洲國家，這就是為什麼日本今天會陷入癱瘓。

日本像家父時代的奧地利，或法國還如日中天的時候，是個由公務員官僚體系治理的國家，政客無足輕重，總是被懷疑。政客能力不足或腐化是預料中事，但是，如果連公務員都腐化或能力不足，就是可怕的震憾。日本今天就陷在震憾中。

日本就像德國或法國之類的國家，由高級公務員負責監督經濟的某個部門，通常在五十五歲時退休，成為過去管理的企業的董事，或擔任這個部門同業公會的領袖，領取豐厚的薪水。

日本只是更有組織，官僚始終忠於自己所屬的部會，保衛這個部會的地盤，對抗

所有侵害，以財務省而言，甚至不惜讓國家經濟沈淪。官僚之後會由所屬部會安置在產業界，擔任待遇優渥的「顧問」。

日本工業的效率與競爭力極高的說法完全是無稽之談，日本在工業國家中，其經濟活動暴露在國際競爭的比率仍然最低，大約只有百分之八，其中主要是汽車與電子工業。

因此，日本很少世界經濟的經驗，大部分產業都受到保護，極無效率。如果日本開放造紙工業，允許進口，日本三大造紙公司在四十八小時之內就會消失。

每次日本經濟一開放，例如開放金融服務業，就會被美國人和其他外國人占據，日本的外匯業務完全掌握在外國公司手裡。要擔任外匯交易員，你至少得精通兩國語言。你必須說英語，因為日內瓦沒有多少人說日語。

當日本人在資產管理方面打開一個小小的缺口時，百分之百的業務在六個月內就被外國公司奪取，日本訓練有素的資產管理經理人很少。

我看今天的日本銀行，看到的是第一次世界大戰之後，家父管理的奧地利銀行，四個人做著一個人就可以做好的事情，一九二三年時，他們仍不相信打字機，仍然沒有計算器。

雖然銀行極度沒有效率，冗員充斥，它仍然能夠獲利，因為奧匈帝國的很多工匠

不在乎付百分之五的利率給銀行，他們在別的地方沒有任何信用。

然後世界發生重大變化，奧匈帝國解體，貸款變成呆帳，顧客停止借錢，銀行已經冗員充斥，卻還必須接收從捷克首都布拉格或波蘭南部大城克拉科（Cracow）送回來的員工，銀行因此喪失利潤，被固定成本侵蝕。

這就是今天的日本。

由於一種可回溯到一八九〇年的做法，企業被迫從若干大學中雇用新人，以確保能夠獲得大學畢業生，直到兩年前，企業在業務衰退時，仍會繼續晉用新人，他們擔心遭到除名，不能再列入可以接受畢業生的名單中。

我知道有一家公司雖然業務在萎縮，還是從六所大學雇用了二百八十位新人。因此，新人整天坐著，無所事事，到了晚上，就跟上司出去，喝得醉醺醺的，這樣是工作嗎？

日本如果是十九世紀的歐洲國家，如何在二十一世紀變得具有超級競爭力？

雖然有以上說的情形，但你不要低估日本人，他們擁有令人難以置信的能力，能夠在一夜之間，做出一百八十度的轉變，而且由於日本沒有同情心的傳統，這些變化造成的感情創傷十分嚴重。

雖然四百年來，沒有一個歐洲以外的國家，能夠像日本一樣擁有這麼高水準的國

際貿易，日本卻在一六三七年採取鎖國政策，而且在六個月內完成，其造成的混亂令人難以相信。

一八六七年，明治維新，日本人重新開放——又是一夜之間完成。

一九四五年顯然是不同的情形，因為他們剛剛戰敗。

大約在十年前美元貶值時，日本人毫不浪費時間，把製造業從日本搬到亞洲其他比較便宜的地方，跟華僑建立夥伴關係，而它在中國大陸的製造業獲得幾乎難以擊敗的領導地位。

日本很善於劇烈改變，一旦日本人獲得共識，改變就很快。

我猜想，需要一次重大的弊案才能引發改變，銀行倒閉可能足以提供這種動力。到目前為止，日本人遲遲不願處理脆弱的金融體系，希望問題會自然消失，或逐步解決，但是，隨著時間過去，看來這種事情不可能發生。

論中國

在十年內，中國會自行轉變，如果歷史可以當做指引，中國會分裂成某種形態的地方分權。

今天我們已經看到所謂的自治區，過去這些地方是軍閥割據的地盤。現在這些地區對北京已是好話說的多，上繳的稅少，他們之所以沒有跟中央政府公開絕裂，唯一的原因是想得到國有企業的龐大補助。

整頓極度沒有效率的國有企業，卻不致引發社會動亂，是中國未來最大的挑戰。世界最大的自行車工廠在西安，但是這些自行車的品質惡劣之至，只要你看一眼，這些自行車就會垮下來。因此西安每個人都騎上海生產的自行車，雖然理論上，上海的自行車禁止賣到西安。

西安現在已經有五百萬輛自行車擱著，賣不出去，但是他們得繼續生產更多的自行車，因為工廠裡雇用了八萬五千人。

有次我跟著名的北京第二汽車廠領導說話，他告訴我，他有十一萬五千個員工，每年生產四萬五千輛卡車，但是如果他能夠把員工減為四萬五千人，他一年應該可以生產十一萬五千輛卡車。

我在這家工廠裡，看到福特公司一九二六年賣到上海的工具機，也看到一九五〇年代差得讓人難以相信的俄國設備，然而，工廠有整整三個倉庫，堆滿了電腦化設備，都還沒有拆箱。

「你為什麼不用這些電腦？」我問領導人，他告訴我，六年來，他一直申請從預算

中撥款，好把指令翻譯成中文，但這個要求一直沒有獲准。

這種情形就像一九二九到一九三〇年的俄羅斯，拖拉機擱在田裡不用，因為主管部會不允許進口風扇皮帶之類的零件。

中國有三個解決方法，第一個是官方說法：中國會變得有效率和現代化。是有少數這樣的例子，就像上海的自行車廠一樣，但不多。

第二個方法來自中國的一句古話，「正路走不通，就走另外一條路。」實際上，過去七年來，中國就是這麼做，首先用膨脹性的補貼融通產業，直到失業補助大大增高到有危險的時候為止。之後再讓大型國企的工人下崗，直至太多人失業，然後又重新膨脹，每次都可以在這個過程中砍掉一些。

第三個方法在很多方面都是最實際的作法，就是專注少數領域，創設績效良好的企業，使其足以作為模範，以便吸引外資。這是上海地區的作法，基本上，這種方法有效。

整體而言，你是否認為，目前遍及亞洲的危機會造成全球化過程崩潰，或是因為需要外國資本，導致全球化過程加速？

身處危機時繼續推動經濟自由化是妄想，不只亞洲如此。別忘了，經濟自由化代表立即的混亂，而不是長期的改善。

看看今天的法國，一百一十年來，工會總認為只要降低每週工作時數，就會創造更多就業機會，但從未有任何實驗過這種方法的地方成功過，它只會使失業惡化，並不會創造新的就業機會。

一九二〇年代和大蕭條期間，所有的經驗都指向一個不幸的現實，在失業的壓力下，國家不會開放，它只會關閉。

如果大量生產革命，造成二十世紀基本的混亂，導致蕭條和戰爭，那麼未來知識革命造成的科技失業，會不會也造成二十一世紀的基本混亂？

我看不出有什麼證據會造成這種情形，電腦出現之後，我們擔心自動化帶來的失業效應，但是失業效應並未出現。

在軟微和英特爾故鄉的美國，失業率降到幾十年來的最低水準，反倒是歐洲有極高的失業率，因為歐洲沒有適當地把資訊科技和社會整合在一起，也沒有調整僵化的勞力市場，以適應知識時代的彈性模式。

那麼，你認為二十一世紀的「基本混亂」是什麼？

是人口結構的挑戰，在所有已開發國家，大家琅琅上口的人口老化倒不是大問題，年輕人口的萎縮才是大問題。

美國每位生育期的婦女平均生二．二個嬰兒，是唯一有足夠嬰兒可以替代老化人

口的先進國家，但這完全是因為外來移民很多，在移居美國的拉丁美洲移民當中，生四個小孩是正常的標準。

（一九九八年）

MANAGING IN THE NEXT SOCIETY, BEYOND THE INFORMATION REVOLUTION

第三部

變動的世界經濟

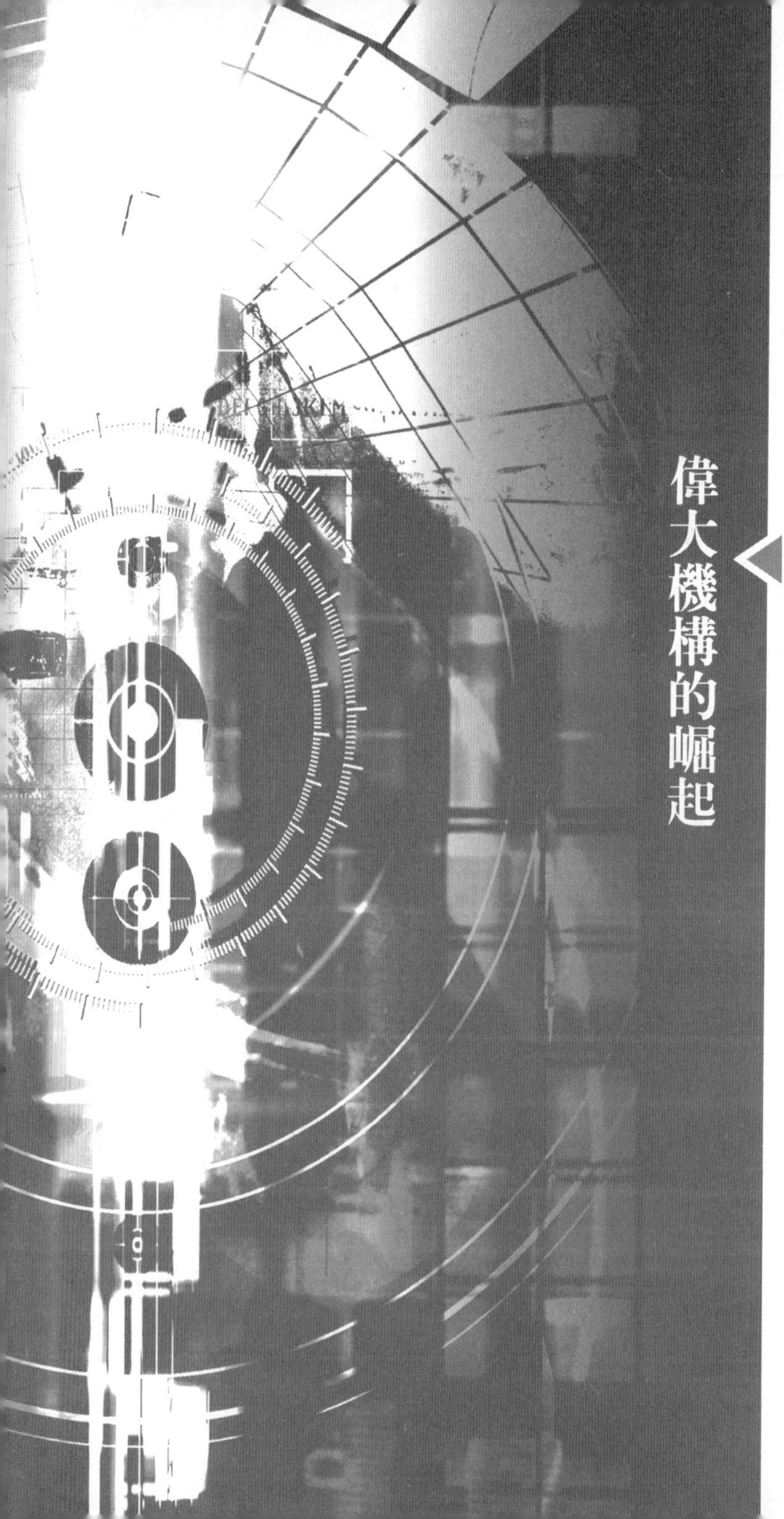

第十一章

偉大機構的崛起

上一個千禧年，西方社會史可以用一句話來摘要說明，卻不至過於簡化，就是多元主義的興起、衰退和再興起。

到公元一千年，西方——也就是地中海以北和希臘正教以西的歐洲——已經成為全新、不同的文明與社會，很久以後，我們稱這種現象為封建主義。那些騎馬打仗、身穿沈重盔甲的騎士，是世上第一個戰爭機器，也是封建主義的核心，但這種戰爭機器並非所向無敵。騎士之所以能穿著盔甲在馬上作戰，都是馬鐙的功勞，馬鐙大約於公元六百年在中亞發明，早在公元一千年之前很久，就世界即接受了馬鐙，當時的任何地方，每個人騎馬時，都配備著馬鐙。

但是舊世界的其他文明，包括伊斯蘭、印度、中國和日本，都拒絕了馬鐙帶來的可能性，這些文明不顧騎馬作戰龐大的軍事優勢，他們之所以拒絕這種作戰方式，是因為馬背上披著盔甲的騎士必須是自主的權力中心，不受中央政府控制。這種作戰機器的每一單位，必須包括騎士、三到五匹馬、馬夫，再加上傷亡率很高，所以還要有五名以上的隨從，也就是說，需要一百戶農家的經濟產出，意即約五百人的生產，才能支持受訓的騎士與昂貴的盔甲。和支持裝備最好的專業步兵，如羅馬軍團或日本武士所需要的力量相比，支持騎士這種作戰單位所需的資源，大約是五十倍。

控制封地

騎士對其事業，也就是他的封地，擁有全面的政治、經濟和社會控制力，這漸漸促使中世紀西方社會的每一個單位，不論世俗還是宗教單位，都變成自主的權力中心，只在口頭上臣服於中央的權威如教皇或國王，但絕不交出任何東西，也不繳稅。這種獨立的權力中心包括男爵與伯爵、主教與極為富有的修道院、自由城市和技工同業公會，幾個世紀之後，還包括最初設立的大學和無數獨占事業。

從西元一〇六六年「征服者威廉」（William the Conqueror）把封建主義帶到英國開始，西方已徹底多元化，每個團體都持續爭取更多的自主權和權力，也就是從政治和社會上控制所屬成員，也控制成員取得特權的管道，推行自己的司法制度，擁有自己的作戰力量與鑄幣權等等。到西元一千二百年，這些「特殊利益團體」已經掌控一切，每個團體都只追求自己的目標，只關心自己的財富和力量，沒有人關心共同利益，制定社會政策的能力完全消失。

反動從十三世紀的宗教界開始，起初力量很薄弱，教宗在法國里昂的兩次會議中，設法重新奪回對主教與修道院的控制權，教宗最後在十六世紀中葉的特倫特

（Trent）會議中，確立了控制權，但這時教宗與天主教會已經敗給新教，失去了英格蘭和北歐。至於世俗世界，針對多元主義的反擊在一百年後開始，到西元一三五〇年，威爾斯人（Welsh）發明的長弓經過英國人改善，摧毀了騎士在戰場上的優勢，幾年後，大炮把中國人用來作為爆竹的火藥轉到軍事用途上，摧毀了騎士的堅固城堡。

此後的五百多年，民族國家逐漸變成社會唯一的權力中心。這個過程進展地相當緩慢，根深蒂固的「特殊利益團體」的抗拒力量非常龐大，在結束歐洲三十年戰爭（Thirty Years' War）的西發里亞條約（Treaty of Westphalia）中，才廢止私人軍隊，國家取得獨占維持軍隊與作戰的權力。多元制度逐步喪失自主權，到拿破侖戰爭結束時或其後不久，主權國家在歐洲已經取得全面勝利，連教士都變成公務員，受國家控制，由國家支付薪水，臣服於主權之下，不管這個主權是國王還是國會。

唯一的例外是美國，多元主義繼續生存，因為美國擁有獨一無二的宗教多元化。不過即使在美國，以宗教為基礎的多元主義，也因為政教分離的緣故，而被剝奪了權力。在美國，所有以教派為基礎的政黨或運動，從來都只能吸引少之又少的政治支持，這點和歐洲有很大的不同。

到上一世紀中葉，許多社會與政治理論家，包括黑格爾（Hegel），與英、美的自由派政治哲學家，都驕傲的宣稱多元主義已死，再也無法捲土重來。然而就在這個時

刻，多元主義重現生機，第一個獲得龐大權力與自主權的組織是新企業，新企業在一八六〇和一八七〇年間興起時，幾乎可說毫無前例可循，隨後迅速出現眾多其他機構，這時新機構的數量已經很多，每個都要求龐大的自主權，並展現相當有力的社會控制，包括工會、終生雇用的公務員、醫院、大學。每種都像八百年前的多元機構一樣，是特殊的「利益團體」，每個機構都需要、也在爭取自主權。

沒有一個機構關心共同利益。想想強大的工會領袖約翰．路易斯（John L.Lewis）說的話，小羅斯福（Franklin D. Roosevelt）總統請求他取消煤礦工人罷工，以免削弱美國的戰力，路易斯說，「美國總統領薪水，目的就是要照顧煤礦工人的利益。」這只是特別不客氣的說法，今天每一個「特殊利益團體」領袖都相信這個道理，而且相信他們的選民付錢給他們，就是要他們這樣做。就像八百年前的情形一樣，在所有已開發國家中，這種新的多元主義隱然有摧毀制定政策的能力以及社會凝聚力的威脅。

然而，今天的社會多元主義和八百年前有根本上的差別，當時的多元機構，例如身穿盔甲的騎士、自由城市、同業公會或「自由」的主教區，是以財產和權力為基礎。今天的自主式組織，包括企業、工會、大學和醫院，則是以功能為基礎，其執行能力乃是來自於專注單一功能。史達林統治俄羅斯時，曾嘗試恢復主權國家獨占的權力，結果造成俄羅斯崩潰，主要原因在於所有機構都被剝奪了所需要的自主性，以致

沒有一個機構能夠發揮功能，或繼續發揮功能，看起來似乎連軍方都無法繼續發揮功能，更不要說企業或醫院了。

必要的自主性

今天，組織履行的大部分任務，昨天還被認為是家庭該做的，家庭負責教育成員，照顧老弱殘疾，為需要工作的成員找到工作。事實上，家庭在這些任務上連一件都沒做好，只要用最隨便的方式，看看十九世紀的家庭通信或家族史就可以知道了，這些任務只能由真正自主、獨立於社區或國家之外的機構完成。

下一個千禧年的挑戰，或者說下一世紀的挑戰（我們不會活一千年），是保持這些機構的自主性，在某些情況下，我們要保持跨國企業跨越國家主權的自主性，同時讓國家恢復至少在和平時期喪失掉的政策一致性。我們只能希望可以做到這一點，可是到目前為止，沒有人知道該怎麼做，我們知道這需要一些比今天的多元主義更沒有前例可循的東西：每個機構都樂意且有能力維持專注，重視他們有能力運作的特定功能，同時又樂意且能夠為了共同利益，跟政治權威合作。

這是已開發國家在第二個千禧年裡，留給第三個千禧年的艱鉅挑戰。

（一九九九年）

第十二章

全球化經濟與民族國家

眞正的生存者

大約三十五年前，當時世界經濟全球化的說法尚未開始流行，大家就普遍預測民族國家會死亡，實際上，最傑出、睿智的人預測民族國家會死亡已有兩百年之久，一開始是康德（Immanuel Kant）在一七九五年的論文〈永久和平〉（Perpetual Peace）中曾做過這種預測，接著馬克思在〈國家的枯萎〉（Withering Away of the State）這篇文章中亦有提到，到一九五〇和一九六〇年代，羅素（Bertrand Russell）在演說中也如此表示。最近的一本書《主權個人》（The Sovereign Individual）也在談論這件事，這本書的作者之一是《時代》雜誌（Times）前任主編、現任英國廣播公司副董事長威廉・李斯摩格（William Rees-Mogg）爵士，另一位作者是英國全國納稅人聯盟（National Tax Payers'Union）理事長詹姆斯・戴維森（James Dale Davidson），李斯摩格和戴維森主張，除了最低所得的人之外，網際網路會讓所有人的避稅變得極為簡單，且毫無風險，因此無可避免的，主權會轉移到個人身上，使民族國家因為財政枯竭而死亡。

民族國家雖然有這麼多缺點，卻展現出驚人的彈性，雖然捷克和南斯拉夫受情勢

變化之害而消失，從來沒有以民族國家形式存在的土耳其卻運作順暢，印度除了由外國征服者統治的時期外，很少團結一致，現在也都緊緊結合成民族國家。每個脫離十九世紀殖民帝國的國家都自行建國，成為民族國家，同樣的，蘇聯解體後，脫離這個帝國的所有國家，也成為民族國家。至少到目前為止，還沒有任何機構能像國家一樣，從事政治整合，成為世界政治領域中的有效成員。因此，民族國家大概會熬過經濟全球化以及同時發生的資訊革命，繼續生存下來，但是，民族國家會大大的改變，在國內的財政和貨幣政策、對外經濟政策、對國際企業的管制方面，尤其如此，除此之外，在推動戰爭方面，也可能有重大的變化。

民族國家會繼續生存

才氣縱橫的法國律師博丹（Jean Bodin）創造出主權這個名詞，訂出民族國家的標準，他在一五七六年出版的巨著《共和國六書》（Six Books of the Republic）裡，把對貨幣、信用與財政政策的控制力，當成民族國家的三大支柱之一，但這根支柱一向不穩固，到十九世紀末葉，主要的貨幣不再是國家鑄造的硬幣或印行的紙鈔，而是由迅速成長的民間商業銀行創造的信用。於是民族國家用中央銀行來對抗這種情況，到

一九一三年，美國建立聯邦準備制度（Federal Reserve System）後，每個民族國家都有了中央銀行，以控制商業銀行和他們的信用，但在整個十九世紀，一個接著一個的民族國家投身或「被迫」接受不屬於國家的金本位制度，接受金本位對國家貨幣與財政政策的嚴格控制。第二次世界大戰之後，布瑞頓森林協定（Bretton Woods Agreements）建立了黃金交易標準，這個標準雖然遠比第一次世界大戰前的金本位制度更有彈性，但仍未賦予個別國家完整的貨幣與財政自主權。有人說，直到一九七三年尼克森總統讓美元匯率浮動，民族國家才在貨幣和財政事務上，得到完整的自主權。當然，政府和經濟學家們已具有足夠的知識，能夠負責任的運用這種主權。

希望恢復固定匯率、或恢復類似舊制度的經濟學家不多，至少在英語世界是這樣，但是，宣稱民族國家已經在運用新近得到的財政和貨幣自由方面，展現出足夠的技巧或負責任態度的人更少。政府保證浮動匯率有助於匯率穩定，因為透過持續的小幅調整，可以由市場控制匯率。結果，除了大蕭條初期，承平歲月中沒有任何期間的匯率波動，比一九七三年以後的這段期間劇烈、突然。各國政府在擺脫外在限制後，都大肆支出。

德國聯邦銀行（Bundesbank）實際上不受政治控制，它一心一意追求財政上的正確，德國聯邦銀行知道，政客在促成德國統一期間提議的大量支出，若從經濟的角度

來看簡直愚不可及，德國聯邦銀行也清楚、大聲的說出自己的意見，然而，政客還是逕自採取在短期內可以得到民眾讚頌，卻會為長期經濟帶來風險的舉動。德國聯邦銀行預測的每件事都發生了，包括東西德出現了自威瑪共和（Weimar Republic）以來的高失業率。世界各國的政客都一樣，不論哪一個政黨執政，或它承諾要削減或控制多少支出，都沒有什麼差別。

虛擬貨幣

雖然希望政府自制是天方夜譚，但事實上，全球化卻對政府形成更嚴厲的限制，迫使政府在財政上負起責任，浮動匯率讓匯率變得極不穩定，因而創造了龐大的「世界貨幣」。這些貨幣在全球經濟和主要貨幣市場之外並不存在，它不是由經濟活動，例如投資、生產、消費或貿易創造出來的貨幣，而是由外匯交易創造出來的。它不符合貨幣的任何傳統定義，不論是衡量標準、儲存價值還是交易媒介都一樣，完全是無名無聲的虛擬貨幣，而非實體貨幣。

但這些貨幣的力量是真實的，世界貨幣的數量極為龐大，以致這些錢在一國貨幣中流進和流出，所造成的衝擊遠遠超過融資、貿易或投資的流動。虛擬貨幣一天之內

的交易量可以大到足以融通全世界一年貿易與投資所需資金的總額。這種虛擬貨幣沒有經濟功能，因此擁有絕對的流動性，一個交易員只要在鍵盤上按幾次鍵，數百億的資金就可以從一種貨幣，轉換成另一種貨幣。而且因為這些錢沒有經濟功能，不融通任何事物，也不遵循經濟邏輯或理性，因此波動劇烈，很容易因為謠言或意外事件造成恐慌。

一九九五年春季，美元遭到瘋狂賣出就是一個例子，柯林頓總統因此被迫放棄先前的支出計畫，改為推動平衡預算。賣壓是因為占多數席位的共和黨在參議院中，無法通過要求平衡預算的憲法修正案。不過即使這條修正案通過，也毫無意義，因為其中充滿漏洞，而且需要三十八個州批准，才能成為法律，這要花上許多年才能完成。但外匯交易員卻因此恐慌，開始拋售美元。對日元已經低估百分之十的美元，因為遭到拋售，所以匯率在兩星期內又下跌了百分之二十五，從一〇六日元對一美元，跌到八〇日元以下對一美元。更嚴重的是，美國賴以融通赤字的債券市場幾乎崩潰，美、英、德、日本、瑞士和法國的中央銀行立刻採取協調行動，聯手支持美元，但他們的聯合干預還是失敗了，損失數百億美元。最後美元花了這一年的大半時間，才回升到原來（仍然低估）的匯率。

一九八一年，法國法郎也遭到同樣由恐慌引發的賣壓，密特朗（Mitterrand）總統

被迫放棄三個月前協助他當選的承諾。瑞典克朗（krona）、英鎊、義大利里拉和墨西哥披索都遭遇過恐慌性的賣壓，虛擬貨幣每次都獲得勝利，證明全球化經濟是貨幣和財政政策最後的裁判。

然而，要治療不負責任的財政政策，外匯賣壓不是正確的藥方。以墨西哥為例，這種不負責任的政策比痼疾還嚴重，一九九五年，墨西哥披索遭遇瘋狂賣壓，把六年辛苦得來的經濟成就一掃而空，迫使墨西哥從世界穀倉之一退步成新興經濟體。但是到目前為止，還沒有其他方法可以控制財政上的不負責任，唯一有效的是，讓一個國家的財政和貨幣政策，不再依靠借貸劇烈波動的短期世界貨幣來彌補赤字。要推動這類政策，可能需要在三到五年內，推動平衡預算，或推動接近平衡的預算，然而，這會對民族國家的財政和貨幣自主權，形成嚴格的限制，不過話說回來，一九七三年推行浮動匯率時，原意就是要解除所有的限制。

恢復這種非國家和超國家限制的過程已經展開，歐洲中央銀行（European Central Bank）準備在本世紀結束前，為歐洲共同體發行共同貨幣，把貨幣和信用的控制權，從個別會員國手中，移轉到獨立的跨國機構手裡。另一個方法顯然得到美國聯邦準備理事會（Federal Reserve Board）的贊同，這個方法賦予若干國家的中央銀行同樣的權力，因此能維持國家財政主權的外表，卻拿走其中的大部分實權。然而，這

兩種方法都是把已經成為事實的事情制度化，是依據全球化經濟，而不是依據民族國家的情況，來決定基本的經濟決策。

浮動匯率制度在二十五年前，賦予民族國家不受限制的財政和貨幣主權，對政府卻沒有好處，它大體上剝奪了政府拒絕的能力，把決策權由政府手中移轉到特殊利益團體手裡。這點是大家對政府的信心和尊敬劇烈下降的主因，這情形幾乎在每個國家都非常明顯，而且變成令人困擾的趨勢。矛盾的是，喪失財政和貨幣主權後，可能使民族國家變得更強大，而不是更脆弱。

打破規則

全球化經濟興起，對於大多數政府——尤其是西方政府——制定國際經濟政策所依據的基本假設和理論，會造成什麼衝擊，是十分難以瞭解、卻很重要的問題。許多跡象顯示，世界經濟已經出現某種東西，打破了實施數十年的規則。

一九八三年，當雷根總統和日本政府達成協議，放棄二百五十日元對一美元的固定匯率時，為什麼美元對日元下跌超過百分之五十？雖然美元的確高估，對日元的購買力平價大約只在二百三十日元左右，但沒有人預期美元會跌到二百日元以下，結果

美元直線下跌，直到兩年後，美元對日元匯價損失將近百分之六十，也就是跌到一百一十日元時才停止（只是十年後又跌到八十日元），為什麼？直到今天都沒有一個解釋。更神秘的是，美元只對日元劇烈下跌，事實上，美元對一些主要貨幣還升值，這種情形也沒有人預測到，或提出解釋。

雷根和他的經濟顧問希望美元下跌，以便消除對日本逐漸擴大的貿易赤字。根據經濟理論和兩百年的經驗，美元貶值應該表示美國對日本的出口會增加，從日本的進口會減少，日本的出口商、尤其是汽車和消費電子產品製造商會陷入歇斯底里的狀態，宣布世界末日已經來臨。美國的出口的確急遽增加，但美國對於那些貨幣對美元升值的國家，增加的出口反倒更多，而即使美元貶值，日本對美國的出口增加幅度，卻比美國對日本的出口增幅還快，因此美國對日本的貿易赤字實際上不減反增。過去十五年來，每次美元對日元下跌時，當時的美國政府都預測日本對美國的貿易剩餘應該會縮小，每次日本人都慘叫自己要毀滅了，但幾乎每次日本的出超都立刻增加。

面對這種情形，大家普遍認為日本製造商是天才，但是，就算大出口商很精明，就算他們是天才，也不可能立即克服營收減少百分之五十的問題。真正合理的解釋應該是，日本因為美元下跌而得到的好處，和付出的代價一樣多，日本是世界最大的食品和原料進口國，這些東西全都以美元計價，日本花費在進口這些大宗商品的金額，

和出口製成品賺到的美元大致相等。像豐田汽車這種個別企業可能會有損失，因為豐田把汽車出口到美國，若把得到的美元換成日元，就只有以前的一半，但是，對整個日本經濟來說，美元對日元匯價下跌，只是一種沖洗過程而已。

但是，這種說法引起另一個更神秘的謎團。為什麼日本不必在進口所需大宗物品方面多付錢，這怎麼解釋？根據理論和過去的經驗，以美元計算的商品，其價格上漲的幅度，應該跟美元下跌的幅度一樣大。所以日本人支付的價格，應該跟美元貶值前一樣多。如果像過去一樣，那麼日本對美國的確不會有貿易剩餘。但是，今天以美元計算的商品價格卻比一九八三年還低，這點仍舊無法解釋。

這個謎團中只有一點有道理，但這一點甚至更不符合傳統的國際貿易理論。美國商務部估計，在任何已開發國家的出口中，百分之四十以上的商品，是出口到國內公司在國外的子公司或關係企業。從官方和法律觀點來說，這些商品都是出口，但從經濟觀點來看，卻是公司的內部移轉。這些產品包括機器、原物料和半成品，一直都是送到國外的工廠或關係企業以用來生產，不管匯率是高是低，都必須繼續下去。改變這種關係要花上很多年，其成本會超過在外匯方面能節省下來的部分，因此，申報的商品貿易中，百分之四十只是法律上虛擬的「貿易」，而這一部分正在穩定成長。

國際貿易理論把「投資跟著貿易走」視為理所當然，大多數人聽到「國際貿易」

這個名詞時，想到的是「國際商品貿易」。但今天「貿易跟著投資走」的現象愈來愈明顯，世界經濟的動力已經變成國際資本的移動，而不是國際商品的移動。雖然二次大戰後，商品貿易成長的速度超過歷史上任何時期，而服務業貿易的成長速度更快，不論是金融服務業、管理顧問、會計、保險還是零售業都是如此。二十年前，美國服務業的出口金額非常小，小到很少記錄在貿易統計中，今天卻占美國出口的四分之一，而且是美國唯一創造可觀出口剩餘的部門。服務業出口很少遵循傳統的國際貿易規則，舉例來說，就只有觀光對匯率波動極為敏感。

我故意只談論美國的經濟謎團，但其實在每個已開發國家和大多數開發中國家，都可以發現同樣的現象。世界經濟的重心已經從開發中國家移開，不過是十五年前，一般還認為開發中國家的成長，要靠已開發國家的繁榮協助，但過去二十年來，已開發國家的表現並不特別好，可是世界貿易和生產卻出現前所未有的繁榮，大部分的成長都出現在新興市場國家。其主要原因在於，知識已經成為重要的經濟資源，取代了經濟學家所說的「土地、勞工和資本」三要素，這裡所謂的知識，主要是以訓練方式以及美國在二次世界大戰期間發展出來的哲學的形式展現出來，它打破了低工資代表低生產力的原則，現在透過訓練，可以讓某個勞工獲得世界級的生產力，卻支領新興市場國家的工資，這種情形至少還會有八到十年。

這些新的現實需要不同的經濟理論，和不同的國際經濟政策，即使匯率走低能夠改善一國的出口，也會削弱國家對外投資的能力。如果貿易跟著投資走，那麼較低的匯率會在幾年內促使一個國家的出口減少，美國就是這樣，美元匯率下跌，在短期內促使美國製造品的出口增加，但也傷害了美國工業的對外投資及其創造長期出口市場的能力，因此讓日本在東亞和東南亞等新興市場的市場占有率遠遠超過美國，成為市場領袖。

新理論和新政策的需要，說明了大家為何突然對十九世紀德國經濟學家腓得力・李斯特（Friedrich R. List）的〈國家發展政策〉（national development policies）產生興趣，《美國新聞與世界報導》（US News & World Report）總編輯詹姆斯・費羅斯（James Fallows）和其他人正是背後的推手。事實上，李斯特在一八三〇年代的德國提倡的政策，也就是保護新興產業，以便發展國內企業的說法，既不是他創立的理論，也不是德國的政策，完全是美國土生土長的東西，是從漢彌爾頓（Alexander Hamilton）一七九一年的〈製造業報告〉（Report on Manufactures）中發展出來的，二十五年後，亨利・柯雷（Henry Clay）把這個報告推而廣之，變成他所謂的「美國制度」，在李斯特以政治難民的身分留在美國時，曾擔任柯雷的秘書，他就是在那段時間學到這些東西。

這些舊觀念之所以吸引人，是因為漢彌爾頓、柯雷和李斯特都不以貿易為重點，他們既不主張自由貿易，也不推廣保護主義，他們把重點放在投資。二次世界大戰以後，自日本開始的亞洲經濟體所遵循的政策，都類似漢彌爾頓和柯雷為剛剛誕生的美國擬定的政策。下一代可能出現的國際經濟政策，一定是既不偏自由貿易，也不偏保護主義，它會以投資，而不是以貿易為重點。

行銷全世界

在全球化經濟中，企業會逐漸被迫從多國公司變成跨國公司。傳統的多國公司是指擁有外國子公司的某國公司，這些子公司是母公司的翻版，例如，一家美國製造業公司的德國子公司是自給自足的公司，製造的所有東西幾乎都在德國銷售，在德國購料，而且雇用的人幾乎全都是德國人。

今天，大部分從事國際業務的公司，其組織結構仍然是傳統的多國公司形式，但是轉變為跨國公司的過程已經開始，而且進展快速，產品和服務可能相同，但結構有基本的差別，在跨國公司裡，只有一個經濟單位，就是世界。銷售、服務、公共關係和法律事務屬於地區性，但零件、機器、規劃、研究、融資、市場、訂價和管理，都

是根據世界的觀點來考量。例如，美國一家主要的工程公司，在比利時安特衛普（Antwerp）郊外的某個地方設立一家工廠，為公司在世界各地的其他四十三座工廠，生產某種重要零件，其他什麼都不做。公司把全世界的產品發展安排在三個地方，品質管制則安排在四個地方，對這家公司來說，國界大致上已變得無關緊要。

跨國公司不能完全擺脫政府的控制，它必須適應控制，但在為世界性市場和科技決定策略和作法時，這種適應又往往是例外。成功的跨國公司把自己當成獨立、無國界的實體，這種自我認知表現在一些幾十年前無法想像的事情上，像最高經營階層的人選，例如世界知名的管理顧問公司麥肯錫，其總部雖然設在紐約，卻由一位印度人領導，而多年來唯一進行跨國經營的大型商業銀行花旗，其第二號人物是華人。

美國政府正設法對抗這種趨勢，方法之一是把美國的法律觀念和法律延伸到境外，在幾乎是美國獨有的反托拉斯法方面，它就是這麼做的，美國也設法利用和不法行為、產品責任和貪腐等有關的觀念，來控制跨國公司。除此之外，美國還透過對古巴和伊拉克的經濟制裁，來對抗跨國公司。

美國雖然仍是世界最大的經濟力量，而且在很多年內可能繼續維持這個地位，但若想根據美國的道德、法律和經濟觀念，來塑造世界經濟，必定會徒勞無功。在全球化經濟中，重要的角色幾乎可以在一夜之間出現，所以不可能有任何宰制一切的經濟

力量。

不過，我們的確需要能夠被全球化經濟接受，且能在其中執行的道德、法律和經濟規範，因此，發展國際法和超國家組織，以便制定和執行全球化經濟的法規，乃是一項重大的挑戰。

全球化經濟之後的戰爭

雖然看來並不相容，但全球化經濟和全面戰爭都是本世紀的產物，用德國「兵聖」克勞塞維茲（Clausewitz）著名的話來說，傳統戰爭的戰略目標是「摧毀敵人的戰鬥部隊」。戰爭是針對敵國的士兵發動的，理論上不是針對敵國的平民和平民財產，當然其中總是有例外，美國南北戰爭結束時，謝曼（Sherman）就領軍進入喬治亞州（Georgia），目標即是針對平民和平民財產，而不是針對殘敗不堪的南方聯盟（Confederate）軍隊，這次例外是刻意的，也因此到今天仍被人牢牢記住。幾年後在一八七〇年至一八七一年的普法戰爭（Franco-Prussian War）期間，俾斯麥（Bismarck）就致力維護法國的金融系統。

但在本世紀的第一場戰爭—布耳戰爭（Boer War）裡，規則改變了，戰爭的目標

被重新定義，變成摧毀敵人的作戰潛力，意思就是摧毀敵人的經濟，在現代西方歷史中，布耳戰爭是第一次有系統的針對敵人的平民發動，英國人為了摧毀布耳士兵的戰鬥精神，把布耳婦孺趕進歷史上首次出現的集中營。

在這個世紀以前，西方大致遵守另一個規則，就是居住在本國的敵國平民，只要不從事政治活動，就不會受到騷擾。但在第一次世界大戰時，英國和法國拘禁所有屬於敵國的外國人，不過美國、德國和奧地利沒有這樣做。在一九〇〇年以前，外國國民或在敵國註冊的公司，擁有的企業和財產都不會受到干擾，從第一次世界大戰開始——又是英國人帶頭，外國人的財產遭到沒收，而且在戰時由政府監管。

現在全面戰爭的規則已深入人心，大多數人把這種戰爭視同自然法則，當人們開始利用飛彈、衛星和核子武器，就不可能回復十九世紀的信念——軍方的首要目標是避免讓戰火波及平民。在現代戰爭中，沒有平民。

雖然摧毀敵人的經濟有助於贏得戰爭，但卻防礙勝利者贏得和平的機會，這是本世紀兩次戰後最重要的教訓之一，其中一次是一九一八年以後的二十年，另一次則是一九四五年後的五十年。美國在第二次世界大戰之後，採用前所未有的政策，包括馬歇爾計畫（Marshall Plan），促成過去的敵國經濟快速復甦，也為戰勝國帶來五十年的經濟擴張和繁榮，這些政策能夠出現，是因為喬治・馬歇爾（George Marshall）、杜

魯門總統（Harry Truman）狄恩・艾奇森（Dean Acheson）和道格拉斯・麥克阿瑟（Douglas MacArthur）等人，都記得第一次世界大戰懲罰性和平的慘痛結果。再度引用克勞塞維茲另一句名言，如果「戰爭是用其他方式延續政策」，那麼全面戰爭必須調整，以因應全球化的現實。

由於企業從多國公司進步為跨國企業，全面戰爭實際上可能有害國家目前的戰力，例如，第一次世界大戰期間，義大利最大的軍備生產商是一家叫做飛雅特（Fiat）的汽車公司，而和義大利作戰的奧匈帝國（Austria-Hungary），其最大的軍備生產商則是飛雅特公司獨資擁有的奧地利子公司，是母公司在義大利創業之後一兩年內設立的。到一九一四年，奧地利飛雅特的規模遠超過母公司，也比母公司進步，因為奧匈帝國的市場規模比較大。若想要這家義大利人擁有的子公司，成為奧地利軍備生產的核心，實際上什麼都不需要，只需要一個新的銀行帳戶。

今天這種獨資子公司會組裝和銷售整輛車，但它可能只生產煞車，然後交給公司在世界各地的工廠運用。子公司會從其他子公司，得到所需的零件和材料，這種跨國整合，可以把汽車的成本降低達百分之五十。但是，如果個別子公司跟公司的其他部分切斷關係，子公司實際上什麼也不能生產。在很多已開發國家，跨國整合的企業現在占該國工業生產的三分之一到一半。

我不會假裝知道如何解決和平與戰時經濟之間日增的衝突。但我們有前例可循，十九世紀最有創意的政治成就是國際紅十字會（Red Cross），紅十字會在一八六二年首先由瑞士公民約翰・杜南（Jean Henri Dunant）倡議，在十年內就成為世界第一個跨國機構，而且現在仍是最成功的跨國機構。紅十字會制定了對待傷患和戰俘的規則，被世界各國普遍採用。今天我們在對待平民和平民財產方面，可能也需要同樣的作為，這也許需要一個跨國機構，而且就像紅十字會般，要大幅抑制國家的主權。

從工業革命初期開始，一直有人主張經濟上互相依賴的力量，應該會比民族主義分子的熱情還強烈，康德就是第一個這樣說的人。一八六〇年時，美國的「溫和派」也相信這一點，但薩姆特堡（Fort Sumter）發出的第一聲槍響，揭開了南北戰爭的序幕，使他們的信念破碎。奧匈帝國的自由派一直到最後，都相信帝國的經濟整合程度極為深入，不可能分成好幾個國家。戈巴契夫（Mikhail Gorbachev）顯然也相信這一點，但過去兩百年來，每一次政治熱情和經濟理性相衝突時，政治熱情和民族國家總是獲得勝利。

（一九九七年）

第十三章

笨蛋，這是社會問題

異端的看法

美國的日本政策，尤其是亞洲經濟危機時的政策，乃是根據五個假設，這些假設成為大多數美國決策人士、日本學者、甚至很多企業經理人的信念，但這些看法不是完全錯誤，就是極為可疑。

一、政府官僚主宰一切被認為是日本特有的現象，日本官僚幾乎完全獨占政策的決定，或是透過「行政指導」，控制企業與國家經濟。

二、對政府而言，把官僚角色減輕到應有的程度，也就是「專家隨時聽候使喚，卻不高高在上」，應該不是這麼難，所需要的只是政治決心而已。

三、像日本官僚這樣的統治精英，在現代已開發社會中沒有必要，而且在民主制度中是令人討厭的。

四、日本官僚抗拒「解除管制」，在金融部門中尤其如此，這只不過是戀棧權力的私心，會造成嚴重損害。政府延後推動無法避免的改革，只會使情勢惡化。

五、最後，日本人畢竟是聰明的民族，他們跟我們一樣，把經濟視為最優先的事項。

然而，跟日本有關的正確假設應該是：

一、官僚幾乎主宰所有已開發國家，美國和若干人口較少的英語系國家，如澳洲、紐西蘭和加拿大是例外，而不是常規。日本官僚比起其他已開發國家，尤其是法國，作威作福的程度少多了。

二、官僚精英的耐力遠超過我們願意承認的程度，雖然官僚弊案不斷，也確實能力不足，卻維持權力達數十年之久。

三、已開發國家都相信，他們需要統治官僚，如果沒有這種官僚，社會就有解體之虞，只有美國是唯一的例外。因此，除非有大家都能接受的替代人選，否則他們會繼續迷戀舊統治精英，而在日本，舉目所見，沒有這樣替代人選。

四、日本官僚的經驗向日本人證明：事緩則圓。過去四十年內，日本兩次克服重大而且顯然無法解決的社會問題，靠得不是「解決」，而是拖延。拖延政策這次很可能會失敗，因為日本的金融體系搖搖欲墜，又有償債能力的問題。然而，從日本過去的經驗來看，拖延並非不理性的策略。

五、事實上，拖延是合乎邏輯的策略，因為對日本的決策人士而言，不管是政客、公務員、還是企業領袖，社會都是最優先的事項，而不是經濟。

空降

日本人所說的空降，是指高級公務員在大約四十五歲到五十五歲，其公職生涯已升到盡頭的時候，就轉成大公司的「顧問」。這種事情美國也有，並不是日本獨有的現象。這種轉換跑道被視為日本官僚的控制力、權力和特權最明顯的特徵，但其實這種事情舉世皆然，包括美國在內的所有已開發國家。

我用個人的例子做說明，第一次世界大戰剛結束時，家父是奧地利商業部文官的領袖，一九二三年他退休時，還不到五十歲，立刻被任命為一家大銀行的董事長兼執行長，他的情形並非特例，他的前、後任，以及在財政部同樣層級的同事都是如此。直到今天，奧地利重要部會的高級公務員仍繼續「空降」。

不過在日本，「空降」顧問是待遇優厚的閒差事，除了每個月領薪水之外，大家通常不期望他們到辦公室。相形之下，在大多數的歐洲國家，「退休」的公務員卻接掌實際工作，就像奧地利公務員成為銀行執行長一樣。

本書並不想探討這種做法是聰明還是愚蠢，我只想指出，這種做法舉世皆然。在德國，不能升到部會最高職位的第二級公務員，會變成某個同業公會的秘書長，不但

待遇優厚，還掌握實權。德國強制規定企業必須加入公會，除了最大的企業之外，所有公司都得透過公會，處理跟政府的關係。如果公務員屬於社會民主黨（Social Democrat Party），也會得到類似的工作，在公會擔任首席經濟學家或秘書長，同樣待遇優厚、位高權重。在法國，升到財政督察（inspecteur de finance）的公務員，大概在四十到四十五歲之間，會轉到產業或金融機構擔任最高職位，法國經濟和社會中每個掌權的職位，幾乎都由過去的財政督察擔任。即使在英國，主要部會的最高級公務員退休後，擔任大銀行或保險公司的董事長，也一直是慣例。

美國也是如此，「空降」並不少見，眾多高級將領退休後，接掌國防和航太公司的高級經理人職位，還有更多的國會助理、行政部門的高階官員，以及華盛頓的統治精英群，也像例行公事般「空降」下來，變成待遇優厚的遊說人員，或華盛頓法律事務所的合夥人。

日本官僚即使在其權力巔峰期，也就是大約一九七〇年時，對企業和經濟的控制，仍然不如歐洲國家的公務員。在法國和德國，政府擁有國家經濟的一大部分，歐洲最大汽車生產商福斯汽車（Volkswagen）的五分之一股權，由薩克森邦（Saxony）擁有，這個邦握有絕對的否決權。一直到相當晚近，法國政府還擁有法國多數的大型銀行和保險公司，歐洲第三大經濟體義大利也一樣。相形之下，日本政府除了擁有郵

政儲蓄銀行之外，幾乎沒有掌控日本經濟的任何部分。日本人靠著「行政指導」達成目標，或靠稅賦來達成控制目的，歐洲人卻靠著所有權人和經理人的身分，擁有直接決定的權力。

精英統治

要削減日本官僚的權力有多難？畢竟日本官僚的記錄慘不忍睹，過去二十五年來，一次又一次的失敗，讓日本官僚搖搖欲墜。在一九六〇年代末期和一九七〇年代初期，日本官僚在挑選未來可以出奇制勝的策略性產業時，遭到嚴重挫敗，挑選了超級電腦之類的失敗者。因此，今天日本在資訊產業和高科技方面，全都遙遙落後。

日本官僚在一九八〇年代再度受挫，官僚因為輕微的經濟衰退而驚慌失措，把日本推入過度的投機性財政泡沫，以及日後的金融危機。「行政指導」促使銀行、保險公司和企業以高得不正常的價格，投入股市和不動產投資，因而陷入嚴重的問題放款。一九九〇年代初期經濟泡沫破滅之後，官僚無法讓日本經濟重新站穩腳跟，卻投入空前龐大的資金，遠超過美國在新政（New Deal）時期投入的全部金額，設法拉抬股價、房地產價格、消費和資本投資，但毫無效果。一九九七年，日本官僚完全沒有

預料到亞洲大陸發生的金融危機，甚至在亞洲各國經濟開始搖搖欲墜之後，仍然督促日本的銀行和產業在亞洲加強投資。

此後，官僚機構的貪污腐敗完全暴露出來，連聲譽卓著的機構，如日本（中央）銀行（Bank of Japan）或財務省都難以避免。官僚宣稱以道德領導的說法不攻自破，甚至連他們最堅強的支持者，也就是大企業都背棄官僚，代表大企業的經濟團體聯合會（Keidanren）呼籲政府，解除管制，削弱官僚機構的權力。

但什麼事情都沒發生，更糟的是，政客試圖展現對官僚機構的控制力，怯生生地採取象徵性的小動作，例如把某位掌握大權的官僚冷凍起來，幾星期之後，又悄悄推翻此一決定。美國人因此宣稱，其中有些不尋常、日本「特有」的事情在運作。

統治精英都有驚人的耐力，尤其是像日本這種不是靠血統或財力，而是靠功能取得權力的官僚，在信用掃地、失去大眾尊敬之後很久，他們仍然掌握權力。想想法國軍隊好了，一八九〇年代發生德雷福斯（Dreyfus）弊案之後，軍方以莫須有的罪名把德雷福斯判處重刑，放逐惡魔島，最後引起公憤，這群自命不凡的統治精英遭到嚴重打擊，顯示出軍方腐化、不名譽、不誠實的一面，而且還失去軍方聲稱的「軍人武德」。不過，軍方卻始終掌握權力，甚至在第一次世界大戰中，法國軍隊展現出徹底的無能，只會從事毫無意義的大屠殺，導致軍方聲譽掃地，尤其在戰後西歐普遍流行姑

息主義的歲月裡，更是如此。即使這樣，軍方還是有足夠的力量，在一九三六年和法國共產黨合作，打敗試圖把權力轉移到文官精英的李昂．布魯姆（Leon Blum）政府，迫使布魯姆下臺。一九四〇年，軍方再度證明自己的無能，讓法國遭到空前的慘敗，卻仍然擁有足夠的權力，迫使維琪（Vichy）政府選擇聲譽極差、老邁無能的貝當（Petain）元帥為領袖，為他們的傀儡政權贏得合法性和民眾的普通支持。

統治精英具有高超的能力，足以打消任何把他們拉下馬的企圖，這種現象絕對不是日本獨有，許多已開發國家，尤其是已開發的民主國家，都相信自己需要統治精英，如果沒有他們，社會和政治會解體，進而瓦解民主制度。只有美國和少數人口比較少的英語系國家沒有這種信念，美國社會從十九世紀初以來，就沒有統治精英。的確，自托克維爾（Tocqueville）以降，幾乎每個觀察美國的外國人都指出，美國社會真正獨特的性質是，每個團體都覺得自己即使沒有遭到歧視，也是受到忽略，不被尊重。很多人認為，這點正是美國最強大的力量所在。但我們不要忘了，美國是例外，日本才是正常，美國以外的主要已開發國家都認為，沒有統治精英，就不可能有穩定的政治及社會秩序。

想想戴高樂（Charles de Gaulle）和艾德諾（Konrad Adenauer）吧。兩個人都遭到本國統治精英的排斥，戴高樂被法國軍方排擠，艾德諾則被德國公務員排擠。他們

雖然能力高強，卻始終無法升遷並取得權力，戴高樂一直到第二次世界大戰爆發後，才升為將軍，而即使當了將軍，也只領導一支很小的部隊。一般認為，艾德諾是德國最高明的政客，也是能力極高強的官員，但從來沒有人考慮任命他為內閣部長，更不要說當總理了，就總理這個位置來看，他的能力顯然遠勝威瑪時期的平庸之士。兩個人都對自己遭到精英排斥痛心疾首，也公然鄙視這群精英，可是他們在戰後贏得權力之後，卻立刻創造新的統治精英。

一九四五年戴高樂當上法國總統，他的初步行動就是讓新公務員成為今天的精英，把支離破碎、互相競爭的官僚結合起來，成為一個由中央控制的團體，他讓公務員掌控法國政府和經濟的所有重要職位，賦予「財政督察」絕大的權力。最後還創造了一個新身分，就是國家行政學院（Ecole Nationale d, Administration）畢業生，過去四十年來，幾乎每一位法國社會、政治或企業領袖，都是從這個學校出來的，當然幾乎包括所有的「財政督察」。

一九四九年艾德諾成為德國總理後，既有的公務員信用掃地，士氣低落，又因為向納粹臣服，因而聲名狼籍，於是，艾德諾立刻著手恢復公務員的精英地位。他本人被納粹下獄兩次，雖然遭遇沈重的壓力，尤其是來自英國和美國的壓力，他仍然保護公務員，讓公務員不受清算納粹餘孽的影響，恢復他們的就業保障以及被納粹剝奪的

特權，公務員擁有空前的自由，不受地方政客的干預。因此，艾德諾賦予公務員精英前所未有的崇高地位，而且這次不再像過去在德國國王、甚至是威瑪共和時代一樣，地位不如軍方。

戴高樂和艾德諾都被人指責為不民主，兩個人都宣稱：若沒有統治精英，現代社會、尤其是現代的民主政體就會瓦解。他們的說法有些道理，例如威瑪共和時代的德國，軍方雖然在第一次世界大戰中失敗，聲名掃地，卻仍然保留否決權。公務員的地位在一九一八年前都低於軍方，勢力微弱，又為了是否接受威瑪共和而嚴重分裂，而在公共舞臺上，新興團體如企業領袖和專業人員，仍被視為暴發戶。歷史告訴我們，缺乏被大家普遍接受的統治團體，是威瑪共和解體的重要原因。再舉一個例子，義大利的政治癱瘓、社會失序，必然跟缺乏統治精英有一定的關係。

已開發國家賴以生存的統治精英當然戀棧權力，所有統治階級都是如此。但精英之所以能繼續保持權力，完全是因為舉目所見，沒有人可以取而代之。除非有替代人選——這顯然需要戴高樂和艾德諾這樣的人才，才有可能做到——否則舊有的統治精英會繼續掌權，即使聲名掃地、功能失常，依然如此。

日本看不到任何替代人選，軍方在歷史上是統治精英，卻得不到大眾支持（一九三〇年代的軍國主義政權大致是幕府將軍的翻版，日本史上的大部分期間，都是由軍

事獨裁者統治。）大企業獲得空前的尊敬，卻不被視為統治精英，教授或專業人士組成的團體也是如此。到目前為止，無論官僚機構名聲多差，它仍是唯一合乎要求的團體。不管美國的決策人士喜不喜歡，這些事實都會繼續存在，美國的對日政策必須立基於此。在可預見的未來，官僚機構仍會是日本的統治精英，至少是最強而有力的統治精英，無論日本是否「解除管制」。

無為而治

日本統治精英的行為不像美國，美國的精英團體是政治人物，包括行政部門任命的官員和國會幕僚（這兩種人恰巧是美國獨有的）都是如此，日本的統治集團卻是行動一致的官僚機構。

德國偉大的社會學家韋伯（Max Weber）認定，官僚機構是各國普遍的現象，他把官僚機構的功能，定義為彙整本身的經驗，再轉變成行為規則。日本官僚機構的集體記憶中有三次發展經驗，是今天官僚機構賴以行動的基礎，尤其是在發生重大危機的時候。其中有兩次成功，一次失敗。

第一次成功的經驗是在一九四五年後，官僚選擇不介入日本嚴重的社會弊病——

農村大多數人口的失業問題。今天，無論在美國還是日本，實際耕作的農夫頂多只占勞動力的百分之二或三，一九五〇年時，美國百分之二十的勞動力是農人，但在日本，大約有百分之六十的人口仍仰賴土地為生，辛苦工作只能勉強糊口。一九五〇年代初期，大多數日本農人毫無生產力，但官僚機構成功的抗拒所有壓力，拒絕所有呼籲日本政府針對農業問題採取行動的要求，他們未採取任何行動。「不錯」，官僚機構坦白承認，「農業人口過多，數量龐大，且毫無生產力，對經濟發展是嚴重的妨礙。」官僚機構也承認，「不錯，在日本，大多數城市居民賺的錢，只勉強夠買生活必需品，補貼農民廢耕對消費者是嚴重的懲罰。」但官僚不採取任何行動，不鼓勵農民離開農村，或變得更有生產力（例如改種高粱或大豆等新作物，或放棄種稻，改為養雞或畜牧），因為這樣可能會造成嚴重的社會失序。官僚機構宣稱，唯一該做的事情，就是什麼事都不做，而他們也的確這樣做。

從經濟的觀點來看，日本的農業政策徹底失敗，從農業方面來看，日本在已開發國家中表現最差，日本補貼農民的金額和其他已開發國家一樣多，現在需要進口的食品卻反而達到高峰，超過任何主要工業大國。但是若從社會觀點來看，毫不作為是項極為重大的成就，從吸收原來的農民到都市人口中來看，日本的比率高於其他已開發國家，卻絲毫沒有引起社會騷動。

日本官僚的第二次重大成就，也是經過仔細研究後的無為而治——不處理零售通路的問題。一九五〇年代末期和一九六〇年代初期，在已開發國家中，日本的流通系統最落伍、昂貴、又沒有效率，那比較接近十八世紀的系統，而不是十九世紀。該系統由成千上萬個家庭式小商店構成，都是狹小、簡陋、成本高昂、毛利也極高的雜貨店，每家商店的銷售額只能勉強讓店主人糊口。經濟學家和企業領袖都警告，除非日本改善流通系統，否則不可能擁有健全的現代經濟。然而，官僚機構拒絕採取行動，反而通過很多法規，減緩超級市場和折扣商店等現代零售商的成長。官僚同意，「從經濟上看，現有零售系統是重大的拖累，但這是日本的社會安全網，失業者或五十五歲退休、只領到幾個月退休給付的人，總是可以在堂兄弟的家庭商店裡找到工作，勉強維生。」畢竟日本當時還沒有失業保險或退休金。

四十年後，零售通路的問題已經消失，無論在社會還是經濟上，都是如此。家庭商店仍然存在，但大部分的商店，尤其是大城市裡的商店，都已變成大型零售連鎖商的加盟店。那些又冷又暗的舊式商店消失了，今天的小商店都乾乾淨淨、燈火通明，實行中央管理與電腦化。日本現在很可能擁有世界最有效率、成本最低廉的流通系統，同時家庭商店賺的錢也不少。

日本官僚的第三次發展經驗也教導官僚不要採取行動，只是這次經驗不像前兩

次，它徹底失敗了。不過事實上，這次失敗也可說是起因於違反過去的教訓，不理會拖延策略裡的智慧。一九八〇年代初期，日本經濟和就業成長出現溫和的減緩，在大多數國家，這根本不能視為衰退，但是，這次的減緩剛好遇上美元對日元固定匯率脫鉤，以及美元匯率快速下跌，讓依賴出口的日本十分驚慌，於是官僚機構屈服在大眾壓力之下，變成西方式的積極行動派，投下驚人的資金，設法刺激經濟，因而種下禍端。當時，政府的預算赤字開始超過大多數已開發國家，股市瘋狂上漲，股價甚至漲到本益比五十倍以上，都市的房地產價格更是瘋狂飆漲，銀行遊資充斥，又沒有實質借貸需求，於是拚命貸款給投機客，這種泡沫當然會破滅，留下今天金融危機的苦果，股市和不動產嚴重虧損，加上無法收回的問題放款，淹沒了銀行、保險公司和儲蓄銀行。

後來的事件只是證實官僚機構的信念，拖延比採取行動明智。過去兩年來由於來自華盛頓的某些壓力，日本政客和輿論敦促政府，在經濟體系投下超過任何西方國家的資金，卻徒勞無功。

社會合約

日本官僚體系目前處理、或者應該說不處理銀行體系危機的方式，西方人普遍認為只是一種政治上的懦弱，華盛頓官員的看法尤其如此，包括美國財政部、世界銀行（World Bank）和國際貨幣基金（International Monetary Fund），但是對東京的統治小團體來說，拖延不決似乎是唯一合理的政策。

還沒有人知道日本金融機構因為泡沫破滅虧損了多少錢，現在除了國內損失，還要加上亞洲其他國家經濟危機帶來的額外龐大虧損——日本銀行是南韓、泰國、印尼和馬來西亞最大的貸款機構，在中國也是。

日本面對的是第二次世界大戰以後，任何已開發國家最大的金融危機，根據去年五月《商業周刊》（BusinessWeek）的估計，日本銀行體系最後必須打銷大約一兆美元的國內虧損，這還不包括在亞洲其他國家的貸款和投資損失，這個金額遠超過十五年前，美國儲蓄貸款機構（savings and loan）崩潰後，大家估計的最高損失金額。更何況，日本的經濟規模大約只有美國的一半，這個損失金額占日本所有金融機構資金的比率，高達百分之十二。

更嚴重、棘手的問題，是銀行危機對社會的威脅，整個金融體系已經過劇烈的精減。日本的銀行過多，倒不是金融機構的家數過多，而是銀行的分行家數過多，且冗員充斥。日本和美國的金融專家估計，每一千筆交易，日本商業銀行需要運用的人力，是歐美銀行的三到五倍。銀行體系因此成為日本雇用最多員工的行業之一，待遇也最為優厚，大多數的冗員都是中年員工，擁有的技術有限，如果被裁員，將很難找到其他工作。日本的失業率已經升到四十年來的最高峰，若依據官方的統計，失業率已超過百分之四，而如果採用歐美的失業定義，失業率應該高達百分之七或八。兩年前，官方的失業率還不到百分之三。

比失業威脅更嚴重的是，日本的社會合約受到威脅，尤其是終身雇用制的就業保障。如果銀行大量裁員，會對社會合約造成嚴重衝擊，日本人十分嚴肅地看待危機對社會的影響，從他們極力維護就業機會，就可以看出這一點。一九九七年，日本第四大證券商山一證券倒閉時，政府採取幾乎讓人無法想像的手段，容許（實際上很可能是邀請）美國金融業者美林公司，接管山一證券的主要分公司，這完全是因為美林承諾，要留用大約六分之一的山一員工，大約只有幾千人而已。不過是六個星期前，主管證券公司的財務省高級官員才信誓旦旦，堅稱絕不允許外國人經營日本的國內證券業務。

銀行危機削弱了日本的企業和社會結構，可能瓦解日本特有的「集團企業」（Keiretsu），日本的集團企業跟西方人的看法不同，它是圍繞著一家大銀行形成的眾多企業，其主要目的不是為企業服務，而是擔任旗下企業實質的董事會，因為每家公司正式的董事會都只是內部管理委員會，而集團企業可以悄悄地撤除不適任的最高經理人的職務，並審核旗下公司對經營高層的人事建議案。最重要的是，集團企業是相互支持的團體，他們持有彼此的股份夠多，能讓集團企業透過股權，有效掌控各公司，因而保護旗下每家公司，不受外人侵襲和敵意併購。此外，集團企業是終生雇用的最後保證人，如果旗下某家公司陷入嚴重困難，必須裁員，那麼其他公司會為這些人提供就業機會，這讓加入集團企業的公司不僅可以降低成本，也維持了終生雇用的承諾。

集團企業能夠熬過金融危機嗎？身為核心的銀行，已經開始出售旗下其他企業的持股，以便沖銷虧損，更多集團企業旗下的公司，跟著出售其他公司的股票，以換取現金，粉飾自己的損益表。有什麼東西可以取代集團企業，成為日本經濟的組織原則？

這些問題沒有答案。因此，日本官僚機構唯一能夠採取的合理對策，可能真的就是毫不作為。認為拖延可以減少銀行業的問題，很可能是一廂情願的想法。但是西方

國家，尤其是美國，只能希望拖延策略能再度奏效。日本社會對於美國政治、戰略和經濟利益的威脅的不安，遠超過採取行動。舉例來說，對於在華盛頓的壓迫下，迅速採取解除金融部門管制之類的行動，所能帶給美國企業或美國經濟的益處，日本深感不安。

笨蛋，這是社會問題

最後，要瞭解日本官僚如何思考、工作和行動，最重要的關鍵，是瞭解日本的優先事項。美國人認為，除非國家安全遭到嚴重威脅，否則政治決策中，經濟是第一優先考量，但日本人認定社會才是優先事項，而且絕對不是只有官僚這麼想。

在這個問題上，美國又是例外，日本反而比較接近正常狀況。除了美國之外，在大多數已開發國家裡，經濟都被視為政策的限制因素，而不是主要的決定因素，更不是唯一的決定因素，意識形態、尤其是對社會的衝擊經常是最重要的考量。

即使在美國，把經濟視為最高優先也是相當晚近的事情，頂多只能回溯到第二次世界大戰時，更早之前，美國也是把社會視為最優先事項。即使是在大蕭條期間，羅斯福總統推動的新政，也把社會改革遠遠放在經濟復甦之前，並獲得美國選民壓倒性

的支持。

把社會當成最高優先，根本不是日本獨有的現象，但是對日本人而言，其重要性卻超過大多數已開發國家，大概只有法國例外。對外人來說，日本似乎擁有絕佳的社會力量和凝聚力。歷史上沒有另一個社會，曾經像日本這樣成功地因應極端的挑戰和混亂，例如在一八六〇年代，日本被美國海軍准將培里（Perry）的黑船（black ships）壓迫，在一夜之間從世上最孤立、嚴密鎖國超過兩個世紀的國家，轉而向現代世界開放，推行西化，或者像一九四五年戰敗後，遭外國人占領多年，經歷了同樣痛苦、激烈的社會變化。日本人體認到自己的社會脆弱不堪，知道自己的國家在這兩次重要關頭，多麼接近崩潰和內戰邊緣，因此，終生雇用制成為凝聚日本社會極為重要的因素。

日本社會究竟是堅強還是脆弱，那是題外話，重要的是，日本人把自己的優先事項視為理所當然，如果美國人瞭解這一點，尤其是在跟陷入困境的日本人打交道時，瞭解這一點，或許就比較不會有日本官僚一無是處的迷思。為官僚辯護當然仍是異端邪說，但是異端邪說經常比凡俗之見，更接近事實。

（一九九八年）

第十四章 城市的進化

城市的進化會變成所有國家愈來愈重要的最優先事項，在美國、英國和日本之類的已開發國家，尤其如此。然而，政府和企業都無法提供每個大城市所需要的新社區，這是非政府、非企業、非營利機構的使命。

我出生時，離第一次世界大戰爆發還有幾年，當時不到百分之五的人口，也就是每二十人中不到一個人在城市裡居住和工作。都市人仍然是例外，是浩瀚鄉村地區的一個小綠洲。即使在工業化和都市化程度最高的國家，如英國或比利時，仍有半數以上是鄉村人口。

五十年前，第二次世界大戰結束時，美國有四分之一的人口仍住在鄉村，日本靠土地為生的人，也還占總人口的五分之三，今天，在這兩個國家和每一個已開發國家裡，鄉村人口都已低於百分之五，而且還在持續萎縮。同樣的，開發中國家的城市人口也在成長，即使是中國和印度這兩個以鄉村為主的大國，城市也在持續成長，鄉村人口頂多只能維持現狀。在所有的開發中國家，鄉村人口都迫不及待地搬到都市，即使他們在城市裡沒有工作，也沒有房子。

這種人口變遷唯一的一次發生在大約一萬年前，當時我們的祖先首次過定居生活，成為牧人和農夫。但是，這個變化花了好幾千年的時間才完成，我們現在的這個變化卻在不到一百年內發生，這在現代史上從未發生過，沒有什麼機構以及成功的事

跡可供模仿。這個新都市社會的生死存亡，關鍵就在於都市社區的發展。

鄉村生活的實際狀況

對鄉村社會的個人而言，社區是既定事實，無論是家庭、宗教、社會階級還是印度的種姓制度，社區都是既有的體制。鄉村社會沒有什麼流動性，少許的流動多半也是向下的。數千年來，鄉村不斷被人美化，在西方尤其如此，它通常被描寫成美好的田園風光，然而實際上，鄉村社會的社區卻經常具有強制性和壓迫性。

舉一個最近的例子，我和家人在不過是五十年前的一九四〇年代末期，住在佛蒙特州（Vermont）鄉下，當時美國最廣為人知的人物，是貝爾電話公司（Bell Telephone Company）廣告中的市內電話接線生，廣告每天告訴我們，那個接線生把社區凝聚在一起，為社區服務，而且總是隨傳隨到，幫助大家。

實際情況則有些不同。當時在佛蒙特州鄉下，我們只有人工電話交換機，你拿起電話筒時，聽到的不是撥號聲，而是為社區服務的神奇接線生。之後大約在一九四七年或一九四八年，撥號電話在佛蒙特州鄉下出現時，人人都歡欣鼓舞。沒錯，電話接線生總是在線上，可是當你的小孩發高燒，想找接線生幫你接通小兒科衛醫師時，接

線生會告訴你，「你現在接不上衛醫生，因為他現在跟女朋友在一起。」或是，「你不需要找衛醫生，你小孩的病沒這麼嚴重，等到明天早上，再看看小孩是不是還發高燒。」這樣的社區不只具有壓迫性，還干涉你的生活。

這說明了為什麼數千年來，鄉村人口都夢想逃到城市去，一句十一或十二世紀的古老日爾曼諺語說得好，「城市的空氣讓人自由。」農奴如果設法逃離土地，並獲准進入城市，就會變成自由的市民。因此，我們對城市也有一種美好的憧憬，但那就跟憧憬美妙的田園生活一樣，都不切實際。

人們可以在城市裡隱姓埋名，又沒有具壓迫性的社區，這些正是城市吸引人的地方，只是也同時讓城市陷入無政府狀態。城市的確是文化中心，是藝術家和學者可以努力成名的地方。正因為城市沒有社區，才能提供人們奮發向上的流動性。但是在薄薄一層的專業人士、藝術家和學者底下、在富有的商人和擁有專業技術的工匠底下，卻是一團混亂，包含了娼妓、盜賊和不法之徒。除此之外，城市生活也代表著暴露在疾病和流行病中。直到過去的一百年，世界上還沒有任何城市能夠維持本身的人口水準，一切都要看從鄉間前來的人數而定，而直到十九世紀，出現現代化的下水道、預防接種和檢疫之後，城市人的壽命才開始接近鄉下人的壽命。

數千年來都是這樣，古代皇帝統治下的羅馬，拜占庭帝國（Byzantine）的君士坦

丁堡（Constantinople），麥迪奇（Medici）家族統治下的佛羅倫斯（Florence），路易十六（Louis XIV）統治下的巴黎（大仲馬（Dumas）在《三劍客》（Three Musketeers）中將其描述得栩栩如生，這本書是十九世紀最暢銷的傑作）。即使是狄更斯（Dickens）時代的倫敦也一樣，城市擁有光芒耀眼的「高級文化」，但在薄薄的一層光輝下，卻是臭不可聞的沼澤。大約在一八八〇年以前，在任何城市裡，都沒有一個正當婦女敢在白天的任何時候單獨出門，即使是男性，晚上走路回家也不安全。

對社區的需求

城市之所以吸引人，完全是因為能讓人擺脫鄉村社區的強制性和壓迫性，但也由於城市缺乏自己的社區，因此帶有毀滅性。人類需要社區，如果沒有積極向上的社區，就會出現具破壞性的兇狠社區，例如，英國維多利亞時代的各式幫派，以及今天威脅美國大城市、甚至是世上每個大都市的社會結構的幫派。

費迪南·突尼士（Ferdinand Toennies）在一八八七出版的社會學經典巨著《社區與社會》（Gemeinschaft und Gesellschaft）中指出，人類是需要社區的。但他在一個多世紀前仍然希望保存的社區，也就是傳統鄉村社會的有機性社區，已經永遠消失

了。因此，今日的當務之急，是創造過去從未有過的都市社區。我們需要一個有別於傳統的社區，它必須具有自由和自動的特性，也要讓城市裡的每一個人，有機會創造成就，做出貢獻，而且跟社區息息相關。

從第一次世界大戰開始，至少在第二次世界結束後，不論是民主政體還是實施暴政的國家，大多數人民都相信，政府應該而且有能力透過「社會計畫」，以滿足城市對社區的需求。我們現在知道這點大致上是幻想，過去五十年的社會計畫幾乎都失敗了，它顯然無法填補傳統社區消失後的真空狀態。需求還在，資金也還在，甚至很多國家的資金還相當龐大，可是每個地方的成果都少得可憐。

同樣的，民間企業也無法滿足這種需要。我有一陣子還認為，民間企業可以做到這一點，也應該這樣做。我曾在一九四三年出版的《工業人的未來》（The Future of Industrial Man）一書裡，提倡「自治工廠社區」（self-governing plant community），這是一種在大型企業內部的新社區，這個觀念只在日本實施過，而現在已證實，即使是在日本，這種社區也不是解決之道。首先，沒有一家企業能真正提供保障，日本人的終生雇用制很快被證明是一種危險的幻想。而且最重要的是，終生雇用制以及隨之而來的「自治工廠社區」，並不符合知識社會的現實狀況，在知識社會裡，民間部門逐漸變成一種謀生方式，而不是生活方式，它可以、也應該提供物質和個人成就，但企

業顯然是突尼士一百一十年前所說的「社會」，而不是「社區」。

唯一的答案

只有社會部門，也就是非政府的非營利機構，可以創造我們現在需要的市民社區，尤其是為受過高等教育、逐漸成為已開發國家社會中堅的知識工作者，創造這樣的社區。原因之一是，如果未來會出現每個人都能自由選擇的社區，那麼只有非營利組織可以滿足我們的多元需求，滿足從教會到專業協會、從照顧無家遊民到健康俱樂部的需求。非營利組織也是唯一能夠滿足城市第二種需要的機構，即成為有用的市民，只有社會部門能夠提供機會，讓人民擔任義工，從而讓個人擁有一個自己可以控制，也同時可以奉獻和改善的天地。

在即將結束的二十世紀，政府和企業部門已出現爆炸性的成長，在已開發國家中尤其如此。面對即將來臨的二十一世紀，我們迫切需要以建立社區為目的的非營利社會部門，才能使社區成為新社會環境的主角。

（一九九八年）

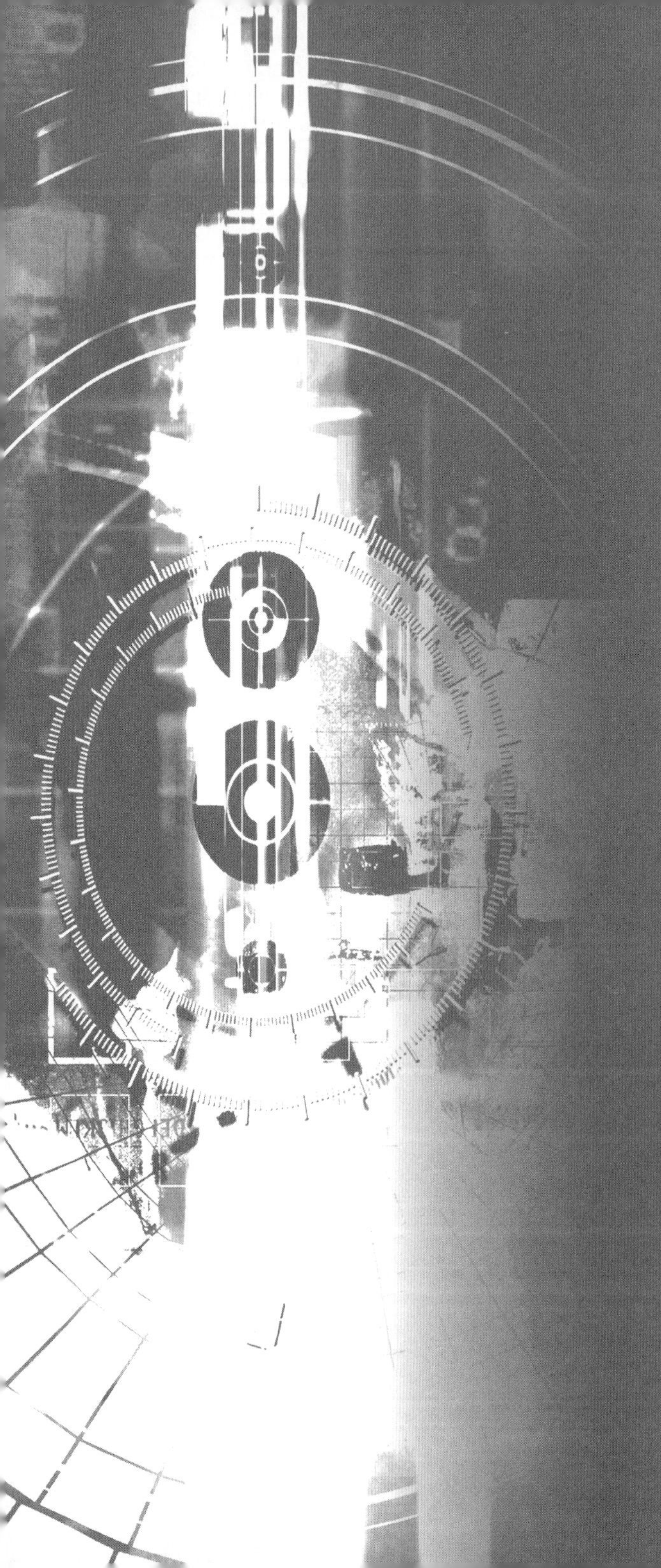

下一個社會

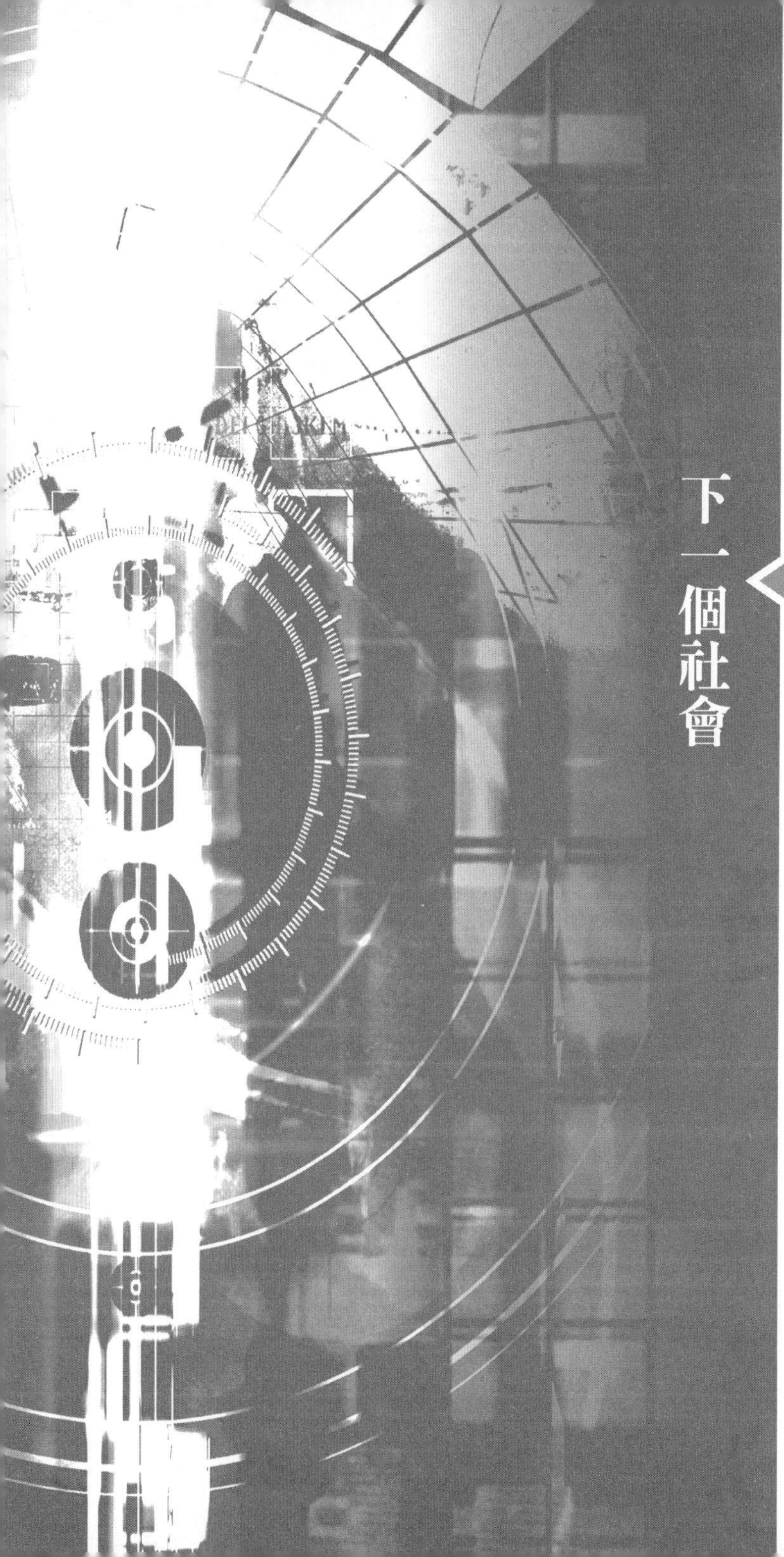

第十五章 下一個社會

MANAGING IN THE NEXT SOCIETY: BEYOND THE INFORMATION REVOLUTION

新經濟還不一定出現，但是毫無疑問的，新社會很快就會出現。在已開發國家裡如此，新興國家可能也一樣，這個新社會的重要性，會遠遠超過新經濟（如果新經濟出現的話）。它和二十世紀末年的社會大不相同，和大多數人期望的社會也不同，新社會有很多前所未有的構成因素，其中大部分已經出現，或正在迅速出現。

在已開發國家，新社會的主導因素是老年人口快速成長，年輕人口迅速萎縮，這點是大部分人才剛開始注意的。政客們仍然承諾要挽救現有的退休金制度，但政客和他們的選民都非常清楚，只要健康許可，以後大家必須工作到七十五歲左右。

大家還沒有普遍瞭解的事情是，愈來愈多年紀較大，例如超過五十歲的人，不會再像傳統朝九晚五的專職上班族般繼續工作，但會轉成其他類型的勞動力，例如擔任臨時人員、兼差人員、顧問、負責專門任務的人員等等。過去被稱為人事部門、現在則叫人力資源部門的單位仍然認為，替一個組織工作的人才是專職員工，現有的就業法令也是根據同樣的假設制定。然而，在二十或二十五年內，為一個組織工作的人員當中，可能高達一半不由這個組織雇用，更不是專職員工，年紀較大的人員尤其如此。這種新型態的僱用方式，對於用人的機構，將會逐漸成為主要的管理問題，而且這種機構還不僅限於企業。

年輕人口萎縮會造成更嚴重的動盪，首先，我們自羅馬帝國衰亡的幾個世紀以

來，從未遇過這種現象，另一方面，每個已開發國家，甚至包括中國和巴西，處在生育期的婦女平均每人生的小孩，都遠低於要補充現有人口水準所需的二・二個。在政治上，這表示外來移民在所有富裕國家裡，都會變成重要問題，也會變成製造嚴重對立的問題，這將會波及傳統的政治團體。在經濟上，年輕人口減少會徹底改變市場，在所有已開發國家的國內市場中，家庭形成比率的成長，過去一直是推動市場的動力，但今後除非仰賴大規模的年輕外來移民，否則家庭形成比率一定會穩定下降。二次世界大戰後，所有富裕國家的市場趨勢都是由年輕人決定，現在則會變成由中年人決定，或許比較可能會分裂成兩個市場，一個是由中年人決定的大量市場，另一個是由數目少很多的年輕人決定的大量市場。由於年輕人口萎縮，新的就業形態將會出現，吸引和維持日漸增加的高齡人員，尤其是受過良好教育的高齡人員，會日趨重要。

知識就是一切

新社會是知識社會，知識會成為主要資源，知識工作者會成為主要的勞動力。它具有下列三種特質：

＊沒有疆界，因為知識的傳播甚至比資金流通還容易。

＊力爭上游。每個人都有機會，都能靠著唾手可得的正式教育力爭上游。

＊成功和失敗的可能性相同，任何人都可以取得「生產工具」，也就是取得就業所需的知識，但不是每個人都能贏得勝利。

這三種特性加在一起，會使知識社會變成競爭激烈的社會，對組織和個人都一樣。資訊科技只是新社會諸多新特性中的一種，卻已造成極為重大的影響，它讓知識可以瞬間傳播，每個人都能取得。由於資訊流通又快又容易，知識社會中的每一個機構，不只是企業，連學校、大學、醫院，甚至是政府都必須擁有全球競爭力，不過，多數組織的活動和市場仍會繼續維持原有的地方性質，這是因為網際網路會使世界各地的顧客，知道什麼地方會有什麼東西以什麼價格供應。

新知識經濟會極度依賴知識工作者，目前這個名詞普遍用來指稱擁有理論知識以及學問的人，例如醫師、律師、教師、會計師、化學工程師等等，但成長最驚人的其實是「知識科技專才」，例如電腦技師、軟體設計師、臨床實驗室分析人員、技術人員、法律助理。這些人既是勞力工作者，也是知識工作者，事實上，他們用勞力工作的時間，遠比用腦力工作的時間多，只是他們的勞力工作以龐大的理論知識為基礎，這種知識只能經由正式教育獲得，不能透過師徒制學習。一般而言，他們的待遇不會比傳統的技術工人多很多，但他們自認是「專業人員」。就像在二十世紀裡，沒有技術

的製造業勞工是社會和政治的主導力量一樣，未來數十年裡，知識技術專才可能也會成為社會、甚至政治的主導力量。

新保護主義

從結構上來看，新社會也已跟目前大多數人所處的社會不同，在二十世紀，主導社會一萬年的農業部門迅速衰微，以產量而言，目前的農業生產至少是第一次世界大戰前的四、五倍。一九一三年時，農產品占世界貿易的百分之七十，現在降到頂多只有百分之十七。在二十世紀初年，農業在大多數已開發國家裡，是對國內生產毛額（GDP）貢獻最大的部門，現在在富裕國家裡，農業部門的貢獻已經無足輕重，農業人口占的比重也降到極低。

製造業長久以來，也走同樣的下坡路，從第二次世界大戰以來，已開發國家製造業的生產量很可能增加了三倍，經過通貨膨脹調整，製造品的價格一直穩定下降，然而，主要的知識產品，即醫療和教育的實質價格卻提高了三倍。和知識產品相比，現在製造品的相對購買力，大約只有五十年前的五分之一或六分之一。一九五〇年代，美國的勞動力中，製造業雇用的勞動力占百分之三十五，現在則降到當時的一半以

下，卻沒有造成多少社會動盪。然而，在日本或德國之類的國家，藍領製造業工人仍占勞動力的百分之二十五到百分之三十，期望它們發生同樣平順的轉型，可能是奢望了。

農業製造財富、維持生計的角色逐漸衰微，促使農業保護主義在第二次世界大戰前蔓延到無法想像的程度。同樣的，即使大家口頭上繼續主張自由貿易，製造業的衰微也會引發製造業保護主義的爆炸性成長。這種保護主義不見得會以傳統的關稅形式表現出來，而是以補貼、配額和各式各樣的管制形式展現，更可能的發展是形成地區性貿易集團，允許內部自由貿易，但是對外實施高度保護主義政策，歐洲聯盟、北美自由貿易協定（NAFTA）和南美共同市場（Mercosur）已經指向這種方向。

未來的公司

從統計上看，多國公司目前在世界經濟中扮演的角色，和一九一三年時大致相同，不過它已經變成另一個物種。一九一三年的多國公司指的是擁有國外子公司，每家子公司都獨立自主，負責某個明確的領域，並擁有高度自主權。今天的多國公司通常根據服務項目或產品線，採行全球化的組織，但跟一九一三年的多國公司一樣，靠

所有權來控制與結合子公司。相形之下，二〇二五年的多國公司靠的可能是策略，其中當然還是有所有權，但是聯盟、合資事業、少數股權、知識技術協定和合約，會逐漸成為結合的基礎，這種組織需要新的最高經營階層。

在大多數國家，甚至在很多大型、複雜的公司裡，最高經營階層仍被視為營運管理階層的延伸，然而，明天的最高經營階層可能是大不相同的東西，它會成為公司的代表。明天的大公司，尤其是多國公司，最高經營階層最重要的工作，是在尋求短期和長期績效間的平衡，同時也在企業不同的支持者，如顧客、股東（尤其是機構投資者和退休基金）、知識員工和社區彼此對立的需求間，尋求平衡。

在這種背景下，這篇調查報告打算解答兩個問題：一是經營階層現在可以做什麼、應該做什麼，好為下一個社會做準備？以及，未來可能會出現哪些現在還不知道的重大變化？

新人口結構

如何因應人口老化

到二〇三〇年，世界第三大經濟體的德國，其超過六十五歲的人口幾乎會高達成

年人口的一半，遠超過目前的五分之一。除非德國的出生率能夠從目前每位婦女生一．三個小孩的低點回升，否則在同一期間內，德國三十五歲以下人口萎縮的速度，會是高齡人口成長速度的兩倍，結果會使總人口從現在的八千二百萬，降為七千萬到七千三百萬人，而工作人口會整整少掉四分之一，從今天的四千萬人，降到只剩三千萬人。

德國的人口結構不是例外，身為第二大經濟體的日本，其人口將在二〇〇五年升到高峰，約達一億二千五百萬人。根據日本政府最悲觀的預測，到二〇五〇年，人口會萎縮到剩下約九千五百萬人；而在這種現象出現前很久，大約是二〇三〇年，超過六十五歲的人口就會增加到成年人口的一半左右，日本的出生率和德國一樣，已經降到每位婦女生一．三個小孩。

大多數已開發國家，如義大利、法國、西班牙、葡萄牙、荷蘭、瑞典等國，人口狀況大致都是如此，而且在很多新興工業國家，尤其是中國，情況也一樣。在某些地區，例如義大利中部、法國南部或西班牙南部，出生率甚至比德國或日本還低。

三百年來，平均壽命和高齡人口都穩定上升，而年輕人口不斷減少則是個新現象。到目前為止，美國是唯一能夠逃脫這種命運的已開發國家，但即使在美國，出生率也遠低於補充人口所需的水準，未來三十年，美國成年人口中的高齡人口比率會急

速上升。

這種情況意味著，在每個已開發國家，爭取高齡人口的支持會變成政治要務，退休金已成為選戰中的固定議題，有關是否需要外來移民，以便維持人口和勞動力數量的爭辯，也日漸增加。這兩個問題加起來，足以改變任何已開發國家的政治面貌。

最晚到二〇三〇年，所有已開發國家的領取完整退休給付的年齡，會上升到七十五歲左右，而且健康的退休人員福利比起今天會大幅減少。確實如此，身心健全人士的固定退休年齡可能廢止，以免工作人口無法承受退休金的負擔。現在，年輕和中年的工作人口已經開始懷疑，等他們自己到達傳統退休年齡時，會沒有足夠的退休基金可以運轉，但各國的政客依然繼續假裝自己可以拯救現行退休金制度。

無奈的需要

外來移民一定會變成熱門議題，備受尊敬的德國經濟研究所（DIW）估計，到二〇二〇年，德國光是要維持既有的勞動力，每年就必須引進一百萬個工作年齡的外來移民。其他富有的歐洲國家也一樣，日本已經討論每年引進五十萬名韓國人，五年後再把他們送回國。除了美國之外，這麼大規模的外來移民對所有大國，都是前所未

有的事情。

外來移民在政治上的影響已經出現，一九九九年，奧地利排外的右翼政黨高舉「禁止外來移民」的政見，贏得選舉勝利，讓其他歐洲國家震驚。同樣的運動也在比利時的法蘭德斯語言區（Flemish），以及傳統自由派的丹麥和義大利北部滋長。甚至在美國，外來移民也顛覆行之已久的政治組合，美國產業工會反對大規模移民，因而加入反全球化陣營，並參與一九九九年世界貿易組織（World Trade Organization）西雅圖會議期間的暴力示威。未來的美國民主黨總統候選人可能要在兩種選民間抉擇，不是反對外來移民，爭取工會的選票，就是支持移民，爭取拉丁美洲裔和其他新移民的選票。同樣的，未來的共和黨總統候選人也可能必須抉擇，不是爭取呼籲引進工人的企業界支持，就是爭取日漸反對外來移民的白人中產階級的選票。

即使如此，美國接受外來移民的經驗，在未來數十年內，應該還會讓美國在已開發國家中保持優勢。美國從一九七〇年代開始大量引進合法和非法移民，大多數移民都很年輕，根據過去的經驗，移民第一代婦女的生育率，通常高於接納她們的國家的婦女，這表示在未來三十或四十年內，美國的人口會繼續緩慢成長，而其他已開發國家的人口卻會日漸減少。

移民國度

不過，光是數目不能讓美國取得優勢，更重要的是，美國在文化上已經適應外來移民，而且在很久以前，就學會把移民融入美國的社會和經濟。事實上，最近的外來移民無論是拉丁美洲裔或亞洲裔，融合的速度都比過去快，例如，根據報導，三分之一的新拉丁裔移民，都跟非拉丁裔和非移民結婚。美國新移民融合的最大障礙之一，反而是美國的公立學校。

在已開發國家中，只有澳洲及加拿大和美國一樣，有接受外來移民的傳統，日本堅決排斥外國人，只有在一九二〇和一九三〇年代，接受過一波大量的韓國移民，這些移民的後裔現在仍被歧視。十九世紀的大量移民如果不是移入空曠、無人居住的地方（例如美國、加拿大、澳洲、巴西），就是在同一個國家裡，從農村移居城市。而二十一世紀的移民是外國人移到已經有人定居的國家，他們在國籍、語言、文化和宗教上都不同。到目前為止，歐洲國家在融合外國人方面，做得比較不成功。

人口結構變化最大的影響，可能是使目前同質的社會和市場分裂。在一九二〇或一九三〇年代前，每個國家都有不同的文化和市場，且因為階級、職業和居住地點的

不同，而有嚴重的區隔，當時大致分成「農村市場」和「有錢顧客市場」，這兩種市場在一九二〇到一九四〇年間都消失了。自第二次世界大戰以後，所有已開發國家都只剩一種大眾文化、一個大眾市場，但是，現在在所有已開發國家裡，人口力量都往相反方向拉鋸，過去的同質性能否繼續存在？

長久以來，是年輕人的價值觀、習慣和喜好，在主導已開發國家的市場，過去半個世紀裡，一些最成功、獲利最高的企業，例如美國的可口可樂和寶鹼（Procter & Gamble）、英國的聯合利華（Unilever）和德國的亨克爾（Henkel）之所以能蓬勃發展，大致上要歸功於一九五〇到二〇〇〇年之間的年輕人口成長，以及高度的家庭形成率。在這段期間內，汽車工業的情形也是如此。

單一市場的消失

有愈來愈多的跡象顯示，市場正在分裂。金融服務業可能是過去二十五年來美國成長最快的行業，而這個市場現在已經分裂。一九九〇年代伴隨著瘋狂的當日沖銷及高科技股的泡沫市場，是屬於四十五歲以下的人口。但屬於五十歲以上人口的投資市場，例如共同基金或遞延年金（deferred annuities），也同時快速發展。在任何已開

發國家，已受過良好教育的成人的進修，可能是成長最快的產業，這種教育所根據的價值觀，和年輕文化的價值觀完全不相容。

但有一點可以想像得到，若干年輕市場會變得利潤極豐。有報導指出，在政府能夠推行一胎化政策的中國沿海城市，中產階級家庭花在獨生子女身上的錢，比過去花在四、五個子女身上的錢還多。在日本，情形似乎也一樣。美國也有很多中產階級家庭，願意為了獨生子女的教育，花很多錢搬進擁有好學校的昂貴郊區。但這個新興的年輕高貴市場，和過去五十年具同質性的大眾市場大不相同，大眾市場已經迅速萎縮，因為成年的年輕人口不斷減少。

未來幾乎可以確定會分成兩種不同的勞動力，大致上分別由六十歲以下和六十歲以上的勞工構成，這兩種勞動力的需求和行為可能大不相同，從事的工作也不同。較年輕的族群需要比較固定的工作，或至少是一連串的專職工作，以便獲得穩定的收入。至於目前快速成長的較年長族群選擇就多了，而且還能把傳統工作、非傳統工作和休閒結合在一起，創造出最適合自己的組合。

勞動力的一分為二，很可能會從女性知識專才開始，護士、電腦科技專才或法律助理可能要離職十五年，去照顧子女，然後才恢復專職工作。美國受過高等教育的女性已經比男性多，這些女性逐漸在新的知識科技領域找工作，這種工作是人類史上首

次出現、可以配合必須承擔生育重任的女性的特殊需要，也十分適合女性日漸提高的壽命。長壽是就業市場分裂的原因之一，五十年的工作生涯在人類史上是前所未見的，若只做一種工作實在是太長了。

勞動力分裂的第二個原因，乃是所有企業和組織的平均壽命都縮短。過去用人機構的壽命都超過員工壽命，但是未來，壽命超過三十年的企業、政府機構或計畫會很少，受雇人員，尤其是知識工作者，會逐漸比最成功的組織都長壽。歷史上，大多數員工的工作生涯都低於三十年，因為他們的健康已徹底耗損，但現在的知識工作者二十多歲加入勞動力市場，五十年後，可能還保有相當健全的身心。

人生的「第二個生涯」和「第二春」在美國已經變成熱門名詞，愈來愈多員工只要確保自己到達傳統退休年齡時，可以得到應有的退休金和社會安全（國家退休給付）權利後，就會提早退休。但他們並不是從此不工作，而是經常以非傳統形式，從事「第二個生涯」，他們可能變成獨立工作者，或兼差、當「臨時人員」、為委外公司服務或親自擔任委外業者，而且經常忘了告訴稅務機關，以便提高自己的淨所得。這種「退而不休、繼續工作」的情形，在知識工作者中特別常見，現在滿五十或五十五歲的知識工作者仍是少數，但大約從二〇三〇年開始，他們會變成美國高齡人口中的最大團體。

注意人口結構變化

未來二十年的人口預測可說已相當確定，因為每個到二〇二〇年會加入勞動力的人，幾乎都已經出生。但是就像美國過去幾十年的經驗所顯示的一樣，人口趨勢可能出現相當突兀的變化，難以預測，並產生直接的影響。例如，一九四〇年代末的美國嬰兒潮，就引發了一九五〇年代的住宅建築熱潮。

一九二〇年代中期，美國碰到建國以來的第一次「反嬰兒潮」（baby bust），一九二五到一九三五年間，出生率幾乎掉了一半，降到遠低於補充現有人口的水準，意即每個婦女生產二．二個能夠存活的嬰兒。一九三〇年代末期，羅斯福總統召集美國最著名的人口學家和統計學家，組成美國人口委員會，這個委員會信心十足的預測，美國人口會在一九四五年達到高峰，然後開始下降。然而，一九四〇年代末期出生率的爆炸性成長，證明這是個錯誤的預測。這十年內，每個婦女生產的活產嬰兒數從一．八人倍增為三．六人。從一九四七年到一九五七年間，美國出現令人驚異的「嬰兒潮」，每年出生的嬰兒數從二百五十萬人，增加到四百一十萬人。

然後，在一九六〇到一九六一年卻出現相反現象，原先預期第一批嬰兒潮成年

後，應該會有的第二波嬰兒潮不但沒有出現，反而出現重大的反嬰兒潮。從一九六一到一九七五年間，出生率從三・七人降為一・八人，每年出生的嬰兒數目從一九六〇年的四百三十萬人，降為一九七五年的三百一十萬人。接下來又出現一次令人驚異的狀況，在一九八〇年代末期和一九九〇年代初期，出現所謂的「嬰兒潮迴響」（baby boom echo），活產嬰兒數急遽升高，甚至超越第一次嬰兒潮的高峰。若以後見之明來解釋，我們已知是從一九七〇年代初期開始的大量移民，造成了這次的嬰兒潮迴響。這些早年移民的女兒在一九八〇年代末期到達生育年齡，她們的出生率仍然比較接近父母親的祖國，而不是接近她們移居的國家。在本世紀的第一個十年裡，加州整整有五分之一學齡兒童的雙親中，至少有一位是在外國出生。

但沒有人知道是什麼原因造成兩次反嬰兒潮，也沒有人知道一九四〇年代形成嬰兒潮的原因。兩次反嬰兒潮都發生在經濟表現相當好的時候，理論上，這種時期應該會鼓勵大家多生小孩。另外，若從歷史經驗來看，重大戰爭之後的出生率總是會下降，照說不會出現一九四〇年代的嬰兒潮。真相是，我們根本不瞭解是什麼因素在決定現代社會的出生率。人口結構不但是下一個社會最重要的因素，也會變成最難預測、最不容易控制的因素。

新勞動力

知識工作者是新資本主義者

一個世紀前，已開發國家絕大多數人都用雙手工作，務農、做家務、在小型手工作坊和「在當時少之又少的工廠裡」工作，都是如此。五十年後，在美國的勞動力中，勞力工作者的比率降到大約一半，工廠工人成為勞動力中的最大團體，占所有勞動力的百分之三十五。現在又過了五十年，美國工人當中，只剩不到四分之一的人靠勞力工作為生。工廠工人仍是勞動人口的一大部分，但在所有勞動力中，工廠工人已降到大約百分之十五，大致上又回到了一百年前的水準。

在所有的工業大國，美國的工廠工人占整體勞動力的比率最低，英國以些微差距落居第二，在日本和德國，這個比率仍約有四分之一，不過也在穩定下降。當然，從某些方面來說，這是定義的問題，例如福特汽車之類的製造業者，其資料處理員工在統計時，會被列入製造業員工來計算，但是福特公司把資料處理委外後，做相同工作的這批人，就立刻被重新定義為服務業員工。然而，我們不必在這一點上多所著墨，許多有關製造業的研究都指出，實際在工廠工作的員工人數的下降情況，大致跟全國

統計報告中的萎縮幅度類似。

在第一次世界大戰前，根本沒有誰是靠勞力以外的工作維生，服務業勞工這個名詞大約是在一九二〇年創造出來的，只是它後來容易造成誤解，近年來，所有非勞力勞工中，實際上不到一半是服務業勞工。在每個已開發國家的勞動力中，唯一快速成長的是「知識工作者」，這些人的工作需要正式的高等教育，他們現在在美國的勞動力中已達三分之一，是工廠工人的兩倍，再過二十年左右，他們占所有富裕國家勞動力的比率可能接近五分之二。

出現知識產業、知識工作和知識工作者這些名詞，也不過是最近四十年的事，最初是在一九六〇左右，分別由不同的人同時創造出來的，第一個名詞是普林斯頓大學（Princeton）經濟學家傅利茲．麥可勒（Fritz Machlup）提出的，第二和第三個名詞則是作者自創的。現在每個人都會用這些名詞，但幾乎沒有人瞭解它們對人類的價值觀和行為、對人力管理和提高生產力，以及對經濟和政治的影響。不過有一點已經很清楚，就是正在出現的知識社會和知識經濟，會跟二十世紀末年的社會和經濟截然不同，它主要會展現在下列幾個地方：

首先，知識工作者整體而言是新資本主義者，知識已經變成重要且唯一稀少的資源，這表示知識工作者擁有生產工具。但知識工作者也符合舊定義中的資本主義者，

他們透過擁有退休基金和共同基金，已經成為知識社會中許多大企業的主要股東和所有者。

專業化的知識才有用，這表示知識工作者必須跟某個組織結合，由組織匯整眾多知識工作者，把他們的專業知識運用在終端產品上。例如，中學裡最有天分的數學教師，只有成為學校的教職員，才能發揮作用；最高明的產品開發顧問，只有在有組織又有能力的企業，把他的建議化為行動時，才能發揮功效；而最厲害的軟體設計師需要硬體生產商。但是反過來說，高中也需要數學老師，企業需要產品開發專家，個人電腦製造商需要軟體設計師。因此，知識工作者會認為自己和那些運用他們服務的人，是站在平等的地位上，他們是「專業人士」，不是「受雇員工」。知識社會是資淺和資深者構成的社會，而不是老闆和下屬構成的社會。

男性與女性

這一切對婦女在勞動力中擔任的角色，都有重要的影響，歷史上，婦女參與勞動的情況總是和男性不相上下，即使在富裕的十九世紀，閒坐香閨、不事生產的女性也是少之又少，田地、工匠的業務或小商店，都必須由夫妻共同經營，才能生存下去。

一直到二十世紀初，醫生若沒有結婚是不能開業的，因為醫生需要妻子安排看病時間、開門、記錄病歷和寄送帳單。

然而，雖然婦女一直在工作，但從遠古以來，婦女做的工作就跟男性不同，男性工作和女性工作是截然二分的。聖經裡有無數女性到水井去打水，卻沒有半個男性去打水，也從來沒有男的紡織工人。現在的知識工作則是「中性的」，這倒不是出於女性主義者的壓力，而是因為兩性可以把知識工作做得一樣好。然而，最初在設計知識工作時，仍只是為某一性別而設計，例如，教育這個專業是在一七九四年發明的，這一年巴黎設立了師範學校，當時它被認為是男性的工作，六十年後，在一八五三到一八五六年的克里米亞戰爭（Crimean War）中，南丁格爾（Florence Nightingale）則創設了第二種新的知識專業——護理，而護理則被視為純粹的婦女工作。但是到一八五〇年，各國的教育工作已經變成中性的工作，二〇〇〇年時，美國護理學校的學生當中，有五分之二是男性。

歐洲在一八九〇年代以前沒有女醫師，之後最早得到醫學博士的女性當中，有一位是後來變成義大利偉大教育家的瑪利亞．蒙特梭利（Maria Montessori），據說她曾說過：「我不是女醫師，我是正好身為女性的醫師。」同樣的道理也適用在所有的知識工作上，不管性別為何，知識工作者都是專業人士，運用同樣的知識，做同樣的工

作，用同樣的標準規範，也用同樣的成果來判斷。

知識密集的知識工作者，如醫師、律師、科學家、神職人員和教師已經出現很久了，雖然直到過去一百年，他們的數目才呈幾何級數成長。直到二十世紀初期，大型的知識工作者團體根本還不存在，要到第二次世界大戰之後才起飛。所謂的知識科技專才，他們大部分的工作還是用手做，就這點而言，他們是技術工人的繼承人，但他們的薪水是由腦中的知識決定的，這些知識是從正式教育中得到的，而不是透過師徒相承而來。這些人包括X光技術人員、物理治療專家、超音波專家、精神科個案工作人員、牙科技師等等。過去的三十年，醫療科技專才是美國勞動力中成長最快的一個部門，在英國很可能也是如此。

未來二、三十年，電腦、製造業和教育的知識科技專才數目可能成長更快，法律助理之類的事務所科技專才，也會迅速增加，更進一步來看，昨天的「秘書」迅速轉變成「助理」，成為老闆辦公室的經理人，其實一點也不足為奇。在二、三十年內，知識科技專才會變成已開發國家的勞動力中，人數最多的團體，其地位會如同一九五〇和六〇年代的工會工廠工人。

和這些知識工作者有關的事情中，最重要的是他們不認為自己是「工人」，而是「專業人士」。很多知識工作者花很多時間，做大致上不需要技術的工作，例如整理病

床、接電話或歸檔。然而，在他們的工作當中，有一部分要運用過去得到的正式知識，這讓他們變成完完全全的知識工作者，也是他們的特殊之處。

要從事這種工作，得先具備兩點，首先，他們得受正式教育，其次是在整個工作生涯中，能讓他們的知識與時俱進的進修教育。以古老的高級專業人士，如醫師、神職人員和律師來說，很多國家都有正式的教育，但就知識專才而言，到目前為止，只有少數國家提供有系統、有組織的準備。未來數十年內，不論是已開發國家還是新興國家，造就知識科技專才的教育機構都會快速成長，就像過去一樣，滿足新需要的新機構總是會出現。這次的不同之處在於進修教育，供已經受過良好訓練、具有高深知識的成人再學習。過去，學習一向在工作開始時停止，現在，學習永遠不會停止。

知識和改變緩慢的傳統技術不同。西班牙巴賽隆納（Barcelona）附近的一座博物館裡，收藏了大量羅馬帝國後期技術工匠使用的手工具，這些工具跟目前還在使用的工具很像，因此，就技術訓練的目的而言，認定十七、八歲時學到的東西應該可以終生受用，是相當合理的假設。

相反的，現在的知識很快就落伍了，知識工作者必須定期回到學校，因此在新社會中，為已受過高等教育的成人提供進修教育的產業，將會有重大的成長。大部分的進修教育會以和傳統不同的方法提供，例如周末的研討會或線上訓練課程，教育的地

點也很多元，從傳統的大學到學生家裡都有。大家預期資訊革命對教育、傳統學校和大學，都會產生重大的影響，但其對知識工作者的進修教育的影響，可能會更大。

知識工作者通常會認同自己的知識，他們在自我介紹時，會說「我是人類學家」，或說「我是物理治療專家」。他們可能會以自己服務的機構為榮，不管這個機構是公司、大學還是政府，但他們會認為自己「是在這個機構裡工作」，而不是「屬於這個機構」，而其中大部分人很可能認為，自己跟在其他機構執行相同專業的人的共通之處，會比從事不同知識領域工作的同事還多。

雖然知識成為重要的資源，代表專業化程度愈來愈深，但知識工作者在自己的專業領域中，卻具有高度的流動性，只要始終留在相同的領域裡，他們不在乎從一所大學或一家公司，換到另一所大學或另一家公司，也不在乎從一個國家換到另一個國家。很多人談到要設法恢復知識工作者對雇用機構的忠心，但這種做法終究是徒勞無功的，知識工作者可能會喜歡某個機構，覺得在裡面工作很愉快，但他們效忠的對象可是自己的專業領域。

知識沒有階級，知識和某種狀況的關係不是有就是無，負責心臟手術的外科醫生，其待遇可能比語言治療師高，社會地位也高多了，但是，如果要為心臟病人進行復健，那麼語言治療師的知識就會遠遠勝過心臟外科醫生，這就是為什麼所有的知識

工作者都認為自己不是「下屬」，而是「專業人員」，而他們也期望受到這樣的待遇。

金錢對任何人來說都一樣重要，但是知識工作者不認為金錢是最後的標竿，也不認為金錢可以取代專業績效和成就。昨天的工人主要是把工作當成謀生方式，今天大多數的知識工作者卻認為，工作是一種生活方式，兩者有重大的差別。

不斷力爭上游

知識社會是第一個可以讓人毫無限制地力爭上游的社會，知識和其他生產工具最大的不同，就是不能繼承或遺留給後代，每個人都要重新學習，在這一點上，人人生而平等。

知識必須整理成某種形式才能教授，這表示知識必須向大眾開放，成為大家都能取得的東西，即使現在還不是如此，也很快就會做到。這讓知識社會變成高度流動的社會，任何人都可以在學校裡，透過制式的學習過程取得知識，不必再當師傅的學徒。

一八五〇年時，甚至可能到一九〇〇年時，任何社會幾乎都還不具有流動性。在印度的種姓制度裡，出身不但決定個人的社會地位，也決定個人的職業，雖然它只是

一個極端的例子，不過在大多數國家裡其實也一樣，如果父親是農夫，兒子通常也是農夫，女兒則會嫁給農夫。大致說來，唯一的流動是向下，沈淪的原因包括戰爭、疾病、個人的不幸或酗酒、賭博之類的壞習慣。

即使在機會無限的美國，力爭上游的流動性也遠比一般人的想像少的多，在二十世紀上半葉，美國大部分的專業人士和經理人，仍是專業人士和經理人的子女，而不是農夫、小商店老闆或工廠工人的子女。美國與眾不同的地方不在於向上爬的機會有多少，而是歡迎、鼓勵和珍惜任何力爭上游的機會，這點跟大多數歐洲國家截然不同。

知識社會則把對力爭上游的肯定，又大大地向前推進，它認為任何妨礙上進的東西，都是一種歧視，社會現在希望每個人都變成「成功人士」，這在過去是一種可笑的觀念。自然，只有少數人可以特別成功，但有一大部分的人也渴望適度成功。

約翰．蓋柏瑞（John Kenneth Gabraith）在一九五八年的寫作中，第一次談到「富裕社會」，這是個並非有更多富人，也不是富者愈富，而是讓大多數人能在財務上覺得安穩的社會。在知識社會裡，很多人、甚至可能是大部分人，都有一些比財務安全更重要的東西，那就是社會地位或「社會財富」。

成功的代價

然而，力爭上游的代價高昂，瘋狂的競爭會造成心理壓力和情緒創傷，有贏家，就一定會有輸家，但在過去的社會並非如此，沒有土地的勞動者的兒子也變成沒有土地的勞動者，並不是失敗，然而在知識社會裡，這樣的人不僅對個人來說是失敗者，在社會上也是失敗者。

日本的青少年嚴重睡眠不足，因為他們晚上要到補習班填鴨，以便通過大大小小的考試，否則，他們就無法進入心目中的一流大學，進而得到好工作。這種壓力造成學生敵視學習，也隱隱威脅日本重視的經濟平等，使日本變成金權政治的國度，因為只有富裕的父母負擔得起驚人的教育費用，培養子女進入大學。其他國家如美國、英國和法國，也允許學校變成激烈競爭的場所，這個現象在短短的三、四十年內就發生了，顯示在知識社會中，人們有多害怕失敗。

由於競爭如此激烈，愈來愈多極為成功的兩性知識工作者，包括企業經理人、大學教師、博物院院長及醫生，到了四十多歲就陷入「停滯」，他們知道自己已經達到事業生涯的巔峰，如果工作是他們的一切，他們就有麻煩了。因此知識工作者最好在還

年輕的時候，就發展出另一種非競爭性的生活和屬於自己的社區，以及其他興趣，不論是在社區當義工，還是在本地交響樂團中演奏，或是在小城鎮的地方政府中擔任積極的角色，這類其他興趣會讓他們有機會奉獻，創造個人的成就。

製造業的矛盾

如何用更少的工人製造更多的產品？

在二十世紀即將結束的最後幾年，鋼鐵工業最大宗的產品，也就是用來生產汽車車體的熱軋鋼捲的全球價格，從每噸四百六十美元，暴跌到二百六十美元，可是這幾年裡，美國經濟十分繁榮，歐洲大陸的經濟大多也相當繁榮，汽車產量創下新高。鋼鐵工業的經驗可說是整體製造業的典型。從一九六〇到一九九九年間，製造業占美國國內生產毛額和總就業人口的比率，大致都下降了一半，大約只剩下百分之十五，但這段期間，製造業實際的生產量卻增加了二到三倍。一九六〇年時，製造業是美國和所有已開發國家經濟的中心，到了二〇〇〇年，對國內生產毛額的貢獻度而言，製造業已經被金融部門輕鬆的趕了過去。

過去四十年裡，製造品的相對購買力，也就是經濟學家所說的貿易條件，下降了

四分之三，製造品經過通貨膨脹調整後的實質價格，降低了百分之四十，而醫療和教育這兩種主要的知識產品，實質價格卻大約上升了三倍。因此在二〇〇〇年時，若以製造品的實質價格計算，要購買這兩種主要知識產品，必須付出四十年前的五倍。

製造業工人的購買力也下降了，只是降幅遠低於製造品價格的降幅，不過製造業工人的生產力急遽上升，因此大多數勞工的實質所得大致還能維持相同水準。四十年前，製造業的勞工成本大約占製造業總成本的百分之三十，現在大致已降為百分之十二到十五。即使在勞力最密集的汽車工業裡，最先進工廠的勞工成本也不超過百分之二十。製造業勞工、尤其是美國的勞工，不再是消費品市場的骨幹，當美國的工業區危機達到高峰，大型製造業重鎮的就業機會被無情削減時，全美消費產品的銷售額卻幾乎沒有減少。

讓製造業生產力急遽提升的是新觀念，資訊和自動化的重要性其實不如一些新理論，和八十年前出現的大量生產相比，新理論是一種進步。的確，某些新理論，例如豐田汽車的「精簡製造」，就放棄了機器人、電腦和自動化，它將一條自動化和電腦化的噴漆乾燥生產線，用五、六支從超級市場買來的吹風機取而代之，即是一個受人注目的例子。

製造業走的路和早年的農業一模一樣，從一九二〇年開始，所有已開發國家的農

業生產都飛快增加，二次世界大戰之後更是加速成長。在第一次世界大戰前，很多西歐國家必須進口農產品，現在只剩下日本是唯一的農產品淨進口國，現在每個歐洲國家都有大量過剩的農產品賣不出去，而且還在不斷增加中。就數量而言，多數已開發國家今天的農業生產，可能至少是一九二〇年時的四倍，一九五〇年的三倍，只有日本除外。在二十世紀初，農夫在大多數已開發國家都是勞動人口中的最大團體，但現在，這個比率已不超過百分之三。同樣在二十世紀初，農業在大多數已開發國家都是對國民所得貢獻最大的部門，到了二〇〇〇年，美國農業對國內生產毛額的貢獻不到百分之二。

製造業不可能像農業般大幅度地提高產量，在創造財富和就業的能力上，也不可能像農業這麼劇烈的萎縮。但根據可靠的預測，到二〇二〇年，已開發國家製造業的產出至少會加倍，但就業人數會萎縮到總勞動力的百分之十到十二。

在美國，這種轉型大致上已經完成，引起的混亂少之又少，唯一遭到嚴重打擊的團體是非裔美國人。對非裔美國人而言，第二次世界大戰後，製造業就業機會增加，讓他們有機會迅速提升經濟地位，現在他們的就業機會卻急遽減少。但大致上，即使在高度仰賴少數大型工廠的地方，失業率居高不下也只經歷很短的時間，連美國政治受到的衝擊都很小。

然而，其他工業國家是否能同樣輕鬆的過關？在英國，製造業就業人數已經劇烈減少，也沒有造成什麼動盪，不過似乎產生了社會和心理問題。那麼德國或法國之類的國家，又會發生什麼情形？在這些國家裡，勞動市場仍很僵化，直到最近，個人都沒有什麼透過教育往上爬的機會，這些國家已經有大量且似乎難以解決的失業人口，德國的魯爾區（Ruhr）和法國里耳（Lille）附近的舊工業區就是例子，兩國可能會面臨痛苦的轉型期，出現嚴重的社會騷動。

最大的問題是日本。日本沒有勞工階級的文化，長久以來，日本人珍視教育，認為它是提昇社會地位的工具，而日本社會的穩定乃是植基在就業保障上，尤其是大型製造業藍領工人的就業保障，可是這種保障正在迅速消失。日本在一九五〇年代為藍領工人引進就業保障前，它一向是勞工極端動盪不安的國家，現在，製造業勞工大約占總就業人口的四分之一，仍高於所有已開發國家。事實上，日本沒有勞力市場，而且勞工流動性很低。

從心理上來看，日本為製造業衰退所做的準備也最少，畢竟日本在二十世紀後半葉之所以能夠崛起，成為經濟強權，靠的就是變成全球製造業大國。大家絕不應該低估日本人，在日本史上，日本人一向都能展現無與倫比的能力，也能面對現實，它幾乎可以在一夜之間徹底改變，但製造業的衰微，使日本面臨有史以來最嚴峻的挑戰。

製造業不再能扮演創造財富和就業的角色，改變了世界經濟、社會和政治情勢，使開發中國家愈來愈難以創造「經濟奇蹟」。二十世紀下半葉，創造經濟奇蹟的國家，如日本、南韓、臺灣、香港和新加波，都是靠著利用已開發國家的科技和生產力，和新興工業國家的勞力成本，生產製造品出口到富裕國家，但現在，這種策略已行不通。

要創造經濟發展，方法之一可能是把新興工業國家的經濟，融入一個已開發地區，墨西哥新任總統文森．福克斯（Vicente Fox）就抱持這種看法，他提倡包括美國、加拿大、墨西哥在內的「北美洲」徹底整合。在經濟上，這種做法很有道理，但在政治上，卻幾乎是無法想像的事情。另一個方法是中國所走的道路，就是設法建立國內市場，以促進經濟成長。印度、巴西和墨西哥也有足夠的人口，至少在理論上，可以推動以國內市場為基礎的經濟發展。但是比較小的國家如巴拉圭和泰國，能否得到巴西之類新興工業國家的許可，對這些比較大的市場輸出？

除此之外，製造業衰微不可避免地會帶來新的保護主義，就像早年的農業一樣。在二十世紀，農產品的價格和就業每減少百分之一，每個已開發國家，包括美國在內，農業補貼和保護就至少會提高百分之一，而且經常還更多。農人的數目萎縮之後，就變成相當團結的特殊利益團體，於是農業票源變的愈來愈重要，在所有富裕國

家中，其影響力都高得不成比例。

製造業的保護主義已經出現，不過通常是以補貼的形式出現，而不是傳統的關稅，新的經濟集團如歐洲聯盟、北美自由貿易區或中南美自由貿易區，的確創造了內部障礙較少的大型區域市場，但卻用比較高的關稅保護自己，避免受到區域外生產國的侵害。各式各樣的非關稅障礙都在穩定增加，美國新聞界報導鋼板價格下跌百分之四十的同一週，美國政府正以「傾銷」為名，禁止鋼板進口。不管已開發國家的目標有多崇高，其對開發中國家實施公平的勞工法令和適當的環保法規的堅持，都變成強而有力的進口障礙。

人數愈少，力量愈大

在政治上也一樣，製造業工人的人數愈少，影響力就愈大，美國尤其如此，在去年的總統大選中，勞工票的重要性超過四、五十年前，這完全是因為，工會會員占投票人口的比率已極為低落，他們加強團結所致。幾十年前，有些美國工會會員投票給共和黨，但在去年的總統大選中，一般認為，超過百分之九十的會員投票給民主黨，雖然他們支持的候選人高爾（Al Gore）還是輸掉了選舉。

一百多年來，美國工會一直強力支持自由貿易，至少在口頭上是這樣，過去幾年，工會卻變成堅決支持保護主義，而且公開對抗「全球化」。他們不理會真正威脅就業機會的因素，那就是製造業創造就業的功能迅速減弱，而不是外國的競爭。他們根本無法理解，製造業的生產可以增加，但同時就業人數卻會減少，而不但工會會員無法理解這一點，連政客、新聞記者、經濟學家和大眾，大致上也無法理解。大多數人仍認為，當製造業就業機會減少，國家的製造基礎就會受到威脅，因此必須予以保護。他們很難接受人類有史以來，社會和經濟第一次不再由勞力工作主導的事實，也很難接受國家可以只靠相當少數的人口從事勞力工作，就能滿足食衣住行需要的事實。

新保護主義並非起源於懷舊和根深蒂固的感情，而是起源於經濟上的自私自利和政治力量，但這樣不會達成任何目的，「保護」過時的產業不會有用，七十年來的農業補貼就是相當清楚的教訓。美國從一九三〇年代開始投下千百億美元，補貼玉米、小麥和棉花等舊作物，結果這些作物的表現都很差，大豆之類的新作物沒有接受補貼，卻反而欣欣向榮。這個經驗很清楚地告訴我們，出錢支持舊工業、保住過剩人力的政策只會造成傷害，資金應該用來補貼年齡較大、被裁員的勞工，同時重新訓練和安排比較年輕的勞工。

公司會生存嗎？

會，但是跟我們所知道的不同

大約從一八七〇年代發明公司以來，在大部分時間裡，我們都同意下列五項基本要點適用在公司上。

一、公司是「主」，員工是「僕」。公司擁有生產工具，沒有公司的話，員工就不能謀生，因此員工需要公司的程度，超過公司需要員工的程度。

二、絕大多數員工為公司專職工作，他們從工作得到的薪資，是他們賴以為生的唯一收入。

三、若要生產某種東西，最有效的方法是在一個經營階層之下，儘量匯集生產這種產品所需要的各種活動。

支援這一點的理論一直到第二次世界大戰後，才由移民美國的英國經濟學家隆納・高斯（Ronald Coase）發展出來，他主張把眾多活動集中在一家公司裡，可以降低「交易成本」，尤其是可以降低通訊成本（他因為這個理論，獲得一九九一年的諾貝爾經濟學獎）。事實上，這個觀念早在七、八十年前，洛克菲勒就實際採用過，他認為把探勘、生產、運輸、煉油和銷售綜合在一家公司之下，可以形成最有效率、成本最

低的石油事業。他據此創設了標準石油托拉斯（Standard Oil Trust），它很可能是企業史上獲利能力最高的大企業。亨利．福特在一九二〇年代初期，把這個觀念推展到極限，福特汽車不但生產零件，還組裝汽車，另外也生產自己需要的鋼鐵、玻璃和輪胎。福特公司在亞馬遜河流域擁有橡膠園，也擁有運送物料和成品的鐵路，還計畫要成為經銷商，並提供維修服務，不過最後這部分從來沒有實現。

四、供應商和製造商，尤其是製造商擁有市場力量，因為他們擁有產品或服務的資訊，而顧客沒有也拿不到。如果顧客相信品牌，就不需要取得這種資訊，這說明了為什麼品牌具有獲利能力。

五、某項特定科技適合某種產業，而且只適合一種產業，與此相對，任何特定工業也只適用一種科技。這表示，生產鋼鐵所需的科技專屬於鋼鐵工業，而用來生產鋼鐵的科技都是從鋼鐵工業發展出來的，同樣的情形也適用在造紙業、農業、銀行業和商業。

工業研究所就是根據這種假設創立的，第一個是一八六九年在德國創立的西門子公司研究所，最後是IBM於一九五二年在美國創立的最後一個大型傳統研究所，這些研究所都只專注一種產業所需的科技，每個研究所都認為，自己的發現只適用於本身所屬的產業。

一切就定位

每個人都認為，每種產品或服務都只有一種特別的用途，每種用途都只會有一種特別的產品或材料。因此啤酒和牛奶只能裝在玻璃瓶裡出售，汽車車體只能用鋼鐵製造，企業營運資金只能透過商業銀行的放款，因此競爭主要發生在產業內部。大致上，一家公司從事什麼業務、市場在哪裡，都相當清楚。

這些假設中的每一個都相當正確，整整維持了一個世紀，但是從一九七〇年開始，每一點都被顛覆了：

一、生產工具是知識，由知識工作者擁有，具有高度移動性，這點同樣適用於知識密集的工作者，例如科學家，也適用在知識科技專才如物理治療師、電腦科技專才和法律助理。知識工作者提供「資本」，就像金主提供資金一樣，兩者互相依賴，這點讓知識工作者能夠平起平坐，變成平等的同伴或夥伴。

二、很多員工仍然擁有專職工作，薪資是他們唯一或至少是主要的收入，現在可能大部分員工還是這樣，但是，為一個組織工作的人員當中，有愈來愈多人不是專職員工，而是兼職人員、臨時人員、顧問或包商。即使是仍然擁有專職工作的人，也有

愈來愈多人不是由他們工作的機構雇用，而是委外包商的員工。

三、交易成本的重要性總是有個極限，亨利・福特一網打盡式的福特汽車公司，後來證明根本無法管理，變成重大的失敗。企業應該儘量整合的傳統原則現在幾乎已經完全失效，原因之一是，任何活動需要的知識，已經高度專業化，因此在一家企業裡，要維持一種主要活動的基本營運，已經愈來愈昂貴，也愈來愈困難，除此之外，知識還必須經常使用，才不會快速惡化，如果只是斷斷續續地採用，保證會讓知識變得無效。

不再需要整合的第二個原因，是通訊成本快速下降，已經變得無足輕重。通訊成本下降早在資訊革命之前很久就開始了，最大的原因可能是商業知識的成長和普及。洛克菲勒在創設標準石油托拉斯時，想要找懂得基本簿記或聽過大多數普通商業名詞的人，都十分困難，當時沒有商業書籍或企業課程，因此讓員工通曉事務的交易成本非常高昂。六十年後，到一九五〇或一九六〇年，繼承標準石油托拉斯的大型石油公司可以自信地認為，比較資深的員工都瞭解企業事務。

現在網際網路和電子郵件之類的新資訊科技，實際上已經消除了實質的通訊成本，這意味著最有生產力、最能創造獲利能力的是分權式組織。分權的做法已經擴展到愈來愈多的業務，機構的資訊科技管理、資料處理和電腦系統的委外管理，已經是

很稀鬆平常的事。一九九〇年代初期，包括蘋果電腦（Apple）在內的大多數美國電腦公司，甚至把硬體的生產，委由日本或新加坡的製造商負責。在一九九〇年代末期，幾乎每一家日本消費性電子產品公司，都把美國市場需要的產品，委託美國專業代工廠商製造。

過去幾年，二百多萬美國勞工的人力資源管理，包括雇用、解雇、訓練、福利等等，都已委託專業雇主組織負責。這種組織十年前根本還不存在，現在每年成長百分之三十。這些業者原本專門服務中小企業，但一九九八年才創立的最大業者艾克瑟公司，現在則為《財星》五百大企業中的若干公司管理員工，包括石油巨擘英國石油公司和電腦廠商優利系統公司（Unisys）。根據麥肯錫顧問公司的研究，用這種方式把人際關係的管理委外，最高可以節省百分之三十的成本，還能提高員工的滿意度。

四、顧客現在擁有資訊。到目前為止，網際網路還缺乏跟電話簿一樣的東西，用戶還不能輕易找到自己要的東西，他們仍需費力搜尋，但資訊總是在網路上，收取費用以代尋資料的搜尋公司已在迅速發展。擁有資訊就擁有權力，權力因而移轉到顧客手中，不管顧客是另一家企業還是最終消費者。這點已明白表示，供應商和製造商漸漸變得不是賣方，而是替顧客採購的買方，這種情形已經出現了。

通用汽車仍是世界最大的製造商，它多年來也一直是最成功的銷售組織，去年通

用宣布創立一家大公司，要為終端消費者提供採購服務，雖然這家公司完全由通用出資，卻擁有自主權，它不只購買通用生產的汽車，也採購最符合個別顧客喜好、價值觀和預算的任何車種和車型。

五、最後，獨門科技已經少之又少，一種產業需要的知識逐漸來自其他完全不同的科技，而這個產業的人對這種科技經常完全不瞭解。例如電話業者當中，起初沒有人知道玻璃纖維纜線是什麼，光纜是玻璃製造商康寧公司（Corning）發展出來的，而自第二次世界大戰後，生產力最高的大型研究機構貝爾實驗室所發展出來的重要發明，有一半以上用在電話業之外。

過去五十年內，貝爾實驗室最重要的發明是電晶體，電晶體開創了現代電子工業，但當時貝爾電話公司認為，這個革命性的新發明毫無用處，因此實際上等於是送給來要電晶體的人，新力公司（Sony）和日本人就是靠這個東西，打進消費性電子產業。

誰需要研究實驗室？

企業自有研究實驗室是十九世紀引以為傲的發明，但現在的研究主管和高科技業

經營者認為，那已經過時了。這點說明愈來愈多企業的發展和成長，不是在公司內部發生，而是透過夥伴關係、合資事業、聯盟、小額投資者，以及和不同產業、不同科技的許多機構訂定的知識技術協定。我們在五十年前還無法想像不同性質機構間的結合，現在則已經很普遍，例如有獲利的公司和大學相結合，以及市政府和州政府跟企業簽約，委託企業提供特殊服務，如清掃街道或經營監獄等等。

實際上，任何產品或服務不再只有一種用途，不再能獨占市場，商業本票和銀行的商業貸款競爭，紙板、塑膠和鋁則和玻璃競爭瓶子市場，在電線電纜中，玻璃已經取代銅，在美國獨棟建築所用的大釘子方面，鋼鐵要跟木材和塑膠競爭，遞延年金擊敗傳統的人壽保險，但保險公司接著取代金融服務機構，變成商業風險的經理人。

因此，一家「玻璃公司」可能必須根據自己精通的業務，而不是根據過去精通的材料，為公司重新定位。世界最大的玻璃廠商之一康寧公司，賣掉仍然獲利的傳統玻璃產品製造部門，成為最大的高科技材料生產商和供應商。美國最大的製藥公司默克大藥廠（Merck）推動多元化，從生產藥品，轉變成總經銷各種醫藥製品，大部分製品甚至不是默克大藥廠製造的，而且很多是競爭對手的產品。

同樣的情形也在非營利部門出現，其中一個例子是，一群婦產科醫生經營「生育中心」，跟美國醫院的產房競爭。英國早在網際網路出現之前，就創設「開放大學」，

允許大家接受大學教育，取得學位，卻不必進教室聽課。

未來的公司

有件事幾乎可以確定，就是未來不只有一種公司，而是有很多種公司。現代的公司是在美國、德國、日本同時但各自發明的，是前所未有的東西，和一千年來擔任「經濟企業」的經濟組織，也就是私人擁有和個人經營的小公司，完全不同。一八三二年英國的第一份企業調查麥克蘭報告（McLane Report）發現，幾乎所有的小公司都是私人擁有，平均員工數不到十人，唯一的例外是半政府組織，如英格蘭銀行（Bank of England）或東印度公司（East India Company）。四十年後，擁有數千名員工的新組織出現，例如由美國聯邦政府和各州支援建設的美國鐵路和德國的德意志銀行。

公司發展出來後，開始有一些國家的特性，而且在各個國家適應不同的法規。此外，各國的大型公司在經營方面，都跟由所有者經營的小公司十分不同，而且在不同產業的公司之間，其內部文化、價值觀和用詞等都有相當大的差異。各地的銀行都很像，各地的零售商或製造商也是如此，但每個地方的銀行都跟該地的零售商或製造商不同。然而除此之外，各地公司間的差異多半是風格上的差異，而不是實質上的不

同，所有現代社會的其他組織，包括政府機構、軍隊、醫院、大學等等，都是一樣。

這種風潮大約在一九七〇年開始轉變，首先出現的是新機構投資者，例如退休基金和共同基金逐漸成為新的所有權人，接著，更具決定性的是知識工作者的出現，成為重要的新資源和社會的代表性階級，造成公司根本上的變化。

新社會的銀行看來仍跟醫院不同，經營方式也不一樣，而不同的銀行間還是可能會有重大差異，要看每家銀行如何因應勞動力、科技和市場的變化而定。若干不同的模式，尤其是不同的組織和結構模式可能會出現，但是，也有可能出現不同的肯定和獎勵模式。

同樣的法律實體，例如企業、政府機構或大型非營利事業組織，很可能包含若干不同的人力組織，這些組織互相結合，但各自用不同的方式管理，其中一種可能是傳統的專職員工組織，不過也有可能出現關係密切、但是獨立管理的人力組織，這種組織主要由年紀較大的人組成，這些人不是員工，而是夥伴或相關人員。也可能出現「週邊」團體，這些人為組織工作，甚至可能從事專職工作，卻是另一家委外包商或委外代工廠商的員工。這些人和他們服務的公司沒有合約關係，因此企業無法控制他們，他們可能不需要「管理」，卻需要激發生產力。因此，這些人必須被放在他們專業知識能發揮最大貢獻的地方，雖然現在有這麼多人探討「知識管理」，但還沒有人真正

知道如何管理。

同樣重要的是，必須讓屬於該類組織的人員覺得滿足，如何吸引並留住他們，會變成人員管理的核心工作。我們已經知道靠賄賂是行不通的，過去十到十五年裡，美國很多企業用獎金或認股權來吸引和留住知識工作者，卻總是失敗。

有句老話說，你不能只雇一個人手，而要雇用他整個人，你也不能只雇用這個人，而是要連他的配偶一起雇用。當利潤下降、取消獎金時，或股價下跌、認股權變得一文不值時，配偶通常已經把錢花掉了，此時，員工和配偶都會生出不滿和離異之心。

當然，公司必須提供讓知識工作者滿意的薪資，因為這類不滿會是重大的妨礙。但公司提供的誘因應該是不同的。知識工作者的管理基礎，應該是假設公司需要他們甚於他們需要公司，他們知道自己可以離開，他們擁有流動能力和自信，這意味著，公司必須把他們當成非營利組織中的義工來對待和管理。這種人第一個想知道的是公司要做什麼，打算往什麼方向發展。接著，他們會想到個人的成就和責任，這表示公司必須把他們放在正確的位置上。知識工作者期望繼續學習和受訓，最重要的是，他們希望被尊敬，倒不是尊敬他們本人，而是尊敬他們的知識領域。就這方面而言，他們比傳統勞工前進了很多步，傳統勞工期望別人告訴他該做什麼，不過後來他們也逐

漸期望「參與」，相形之下，知識工作者則希望在自己的領域中，自己做決定。

從公司到聯盟

八十年前，通用汽車首先發展出組織觀念和組織結構，今天，各地的大公司都採用這種組織。通用汽車也發明了明確的最高經營層觀念，現在通用正在實驗一系列新的組織模式，通用汽車已經從利用所有權控制和結合的單一公司，變成靠經營管理控制的集團，通用通常持有其他公司小部分股權。通用目前控制最老、最大的汽車廠商之一，即是義大利的飛雅特汽車，但它卻未擁有這家公司，通用也控制瑞典的紳寶汽車（Saab），和兩家比較小的日本汽車廠鈴木汽車和五十鈴汽車。

同時，通用從大部分的製造業務中撤退，把製造業務劃給一家叫做戴爾菲（Delphi）的獨立公司，由這家公司負責製造零組件，這部分大約占汽車生產成本的百分之六十到七十。通用並不擁有製造零組件的供應商，也不控制這些供應商，未來它要透過標購和網際網路購買零組件。通用已經跟其競爭對手福特汽車和戴姆勒克萊斯勒公司（DaimlerChrysler）合作，成立一個獨立的採購合作社，替成員向廠商爭取最好的交易條件，通用也邀請其他汽車製造廠商加入。

通用仍會設計自己的汽車，仍要製造引擎，負責組裝，也仍會透過自己的經銷商網絡賣車，但是除了銷售自己的汽車以外，通用還希望變成汽車商和終端消費者的購車代理人，為買車的消費者尋找最適合的汽車，不管車子是誰製造的。

豐田的方式

通用汽車仍是世界最大的汽車製造商，但過去二十年裡，豐田汽車才是最成功的汽車廠商。豐田像通用一樣，正在建立世界性的集團，而豐田跟通用不同的地方，是它根據製造方面的核心競爭力來組織集團，豐田已經放棄擁有多家零組件供應商的方式，它最後想達成的目標是，任何一種零件的供應商都不超過兩家。這些供應商都不屬於豐田，而是當地的獨立公司，不過，豐田會為供應商管理製造業務，供應商必須同意接受豐田的特別製造顧問組織的檢查和「顧問」，才能獲得它的業務，豐田也會負責大部分的設計工作。

這不是新觀念，西爾斯百貨（Sears Roebuck）在一九二〇和一九三〇年代，就用同樣方式處理供應商的問題。英國的馬莎百貨（Marks & Spencer）現在雖然陷入嚴重困境，但過去五十年來一直是最成功的零售商，它之所以能夠維持傑出的地位，主要

就是靠著鐵腕控制供應商。日本已有傳言，說豐田最終希望能對汽車業以外的公司，行銷自己的製造顧問業務，它想把自己的核心競爭力，變成單獨的一家大企業。

一家大型、有品牌的製造商正在試探另一種做法，這家公司的產品中，約有百分之六十是透過大約一百五十家連鎖零售商，在已開發國家銷售。這家公司計畫架設一個全球網站，接受各國顧客的訂貨，貨品如果不是由顧客到離家最近的零售店去拿，就是由這家商店送到顧客家裡，這的確是真正的創新。網站也接受由其他廠商製造、跟這家公司沒有競爭關係的有品牌消費產品，尤其是比較小的公司製造的產品。這些公司很難讓自己的產品，在日漸擁擠的超級市場貨架上銷售，這個網站可以讓他們直接接觸顧客，並透過既有的大型零售商交貨。這家多國公司和零售商都可以得到相當高的佣金，自己卻不需投入任何資金，不必冒任何風險，也不必犧牲貨架的空間，擺放銷售緩慢的產品。

這種模式已有許多變通之道，例如前面提到的美國代工廠商，現在為六、七家互相競爭的日本消費電子產品公司製造產品；少數獨立的專業廠商為互相競爭的資訊硬體廠商設計軟體；獨立的專業廠商為互相競爭的美國銀行設計、行銷和結算信用卡，銀行做的只有融資而已。

這些方法雖然不同，卻都還是以傳統的公司作為出發點，但是也有一些完全放棄

公司模式的新觀念。其中一個例子是，歐盟一些彼此互不競爭的製造商，正在實驗一種「聯合社」的模式，每家社員公司都是中型家族企業，由所有者經營管理，且在範圍狹窄、需要高度工程知識的產品線中，都是領導廠商。每一家都極為仰賴出口，個別公司都希望維持獨立，自行設計產品，也希望繼續在自己的工廠中，為主要市場生產和銷售。但在其他市場，尤其是在新興市場或低度開發國家中，則由聯合社代為安排產品的生產，其方式若不是由聯合社擁有的工廠為會員公司生產，就是發包給當地廠商代為製造，而在所有市場中，都由聯合社處理會員公司產品的交貨及售後維修服務。每家會員公司都持有聯合社的一股，聯合社也持有每家公司的一小部分股權。這聽起來是不是很熟悉，它正好是十九世紀的農民合作社。

最高經營階層的未來

大變化

公司走向聯盟或聯合社之後，會更需要獨立、有力和可靠的最高經營階層，由最高經營階層來負責整個組織的方向、規劃、策略、價值觀、原則和組織架構，也負責和不同會員，包括盟員、夥伴和合資企業之間的關係，同時負責研究、設計和創新，

還必須管理組織中的關鍵人員和資金，他們對外代表公司，維持和政府、大眾、媒體及勞工的關係。

最高經營階層的任務

未來公司的最高經營階層還有一項重要任務，就是在公司的三個面向：經濟組織、人力組織和日漸重要的社會組織之間，取得平衡。過去半個世紀所發展出來的三種公司模式，都只各自強調這三種面向中的一種，把另外兩種視為次要。德國的「社會市場經濟」模式強調社會層面，日本模式強調人力層面，美國的「股東主權」模式則重視經濟層面。

這三種模式中，沒有一種說得上完備，德國模式創造了經濟成就和社會穩定，其代價是居高不下的失業率和勞動市場僵化。日本模式成功地運作了二十年，但才第一次碰到重大挑戰，就搖搖欲墜，而且已經成為日本復甦的主要障礙。股東主權模式也注定會出錯，這種模式只有在風平浪靜、繁榮的歲月中，才能順利運作。當然，公司如果希望善盡企業的人力與社會功能，先決條件是必須欣欣向榮，但現在既然知識工作者成為關鍵員工，那麼公司也需要有理想的員工，才能成功。

獲利至上的說法讓股東主權得以實現，也強調了公司社會功能的重要性。一九六〇或一九七〇年代開始出現的新股東，創造了所謂的股東主權，他們都不是「資本主義者」，而是透過退休養老基金持有公司股份的員工。到二〇〇〇年，退休基金和共同基金已經擁有美國大企業過半數的股權，縱使股東有權要求短期報酬，但是對穩固的退休後所得的需求，也逐漸使大家重視投資的未來價值，因此，公司必須同時注意短期經營成果和長期績效，雖然這兩者並不對立，但又有所不同，公司必須從中取得平衡。

過去一、二十年裡，大公司的管理已經完全改變，這說明了為什麼會出現「超人執行長」（CEO superman），如奇異的傑克．威爾許，英特爾的安迪．葛洛夫（Andy Grove）或花旗集團的桑福德．衛爾（Sanford Weill）。但組織不能依賴超人來經營，超人的供應難以預測，而且數量實在有限，組織只有靠有能力、又認真的人經營，才能生存下去。今天，公司需要找天才來當領袖，已清楚顯示最高經營階層陷入危機。

不可能的任務

最近，美國大企業執行長的下臺速度也指出同樣的情況，過去十年，這些執行長

有一大部分都在一、兩年內，因為無法勝任而遭到開除。然而，他們每個人都是因為過去的紀錄證明能力高強，才雀屏中選。他們在過去的工作中都極為成功，這顯示他們接任的工作已經變成不可能的任務。這不是人的失敗，而是制度的失敗，大型組織的最高經營階層現在需要一個新觀念。

新觀念的某些要素已經出現，例如，奇異的威爾許創立了一個最高經營階層團隊，其中包含公司的財務長和人力資源長，他們跟執行長幾乎平起平坐，且都被排除在執行長接任人選之外。他也給自己和這個團隊一個公開宣佈的明確優先任務，以便集中心力完成。威爾許擔任最高職務的二十年間，曾訂出三項這類優先任務，每一種都耗去他大約五年的時間，每一次他都把權力下放給奇異聯盟內部營業部門的最高經營階層。

瑞典和瑞士合資的大型多國工程公司艾波比（Asea Brown Boveri）則採用不同的方法，今年初退休的執行長哥蘭．林德爾（Goran Lindahl）比奇異更進一步，把公司內部的個別單位，變成獨立的世界性公司，並選用若干不屬於營運部門的人，組成堅強的最高經營團隊。他也為自己制定新的角色，即是扮演公司的一人資訊系統，他不斷旅行，親自認識所有高級經理人，聽他們說話，並告訴他們組織內部有什麼事情正在進行。

一家大型金融服務公司試驗另一種方法，它不是僅任命一位執行長，而是任命六位，五個營運部門的首腦也是整個公司的執行長，每個人負責一個最高經營領域，例如企業規劃與策略或人力資源。董事長對外代表公司，也直接負責取得、分配和管理資金。這六個人組成最高經營委員會，每週開會兩次，這種方式似乎運作得很順利。不過，這五個營運部門的執行長都不希望擔任董事長，每個人都想留在營運部門，連設計這套制度並接任董事長的人，都懷疑自己下臺後，這套制度還能不能繼續維持下去。

上述所有公司的最高階首腦都用不同方法，嘗試做相同的事，想為自己的組織建立獨特的人格，這點可能是未來的最高經營階層最重要的任務。企業在三次世界大戰後的半世紀裡，以其卓越的表現，證明自己是經濟組織，也就是創造財富和就業的組織。在下一個社會中，所有大公司，尤其是多國公司，最大的挑戰可能是其在社會上的合法性，這個合法性包括價值觀、使命和願景，最高階經理人將會愈來愈等同於公司，至於其他一切都可以委外。

公司會繼續生存嗎？會的，會勉強生存。類似今天公司的組織，必須協調新社會的經濟資源，從法律或從財務的觀點來看，這個組織甚至跟今天的公司大致相同，只

是不會僅有一個人人都採用的模式，而是會有一系列的模式可供選擇，同樣的，也會有很多最高經營階層模式可以選擇。

展望未來

現在是為下一個社會做準備的時候了

下一個社會還沒有完全出現，但已經呼之欲出，我們必須在下列領域中，考慮採取行動。

未來的公司

企業和包括大學在內的非營利事業，應該開始嘗試新的組織形式，並進行實驗研究，尤其是在和盟友、夥伴與合資事業的合作方面，以及在界定新結構和最高經營階層新任務方面，進行這類實驗，除此之外，在多國公司的地理位置和產品多元化，以及集權和分權的取捨方面，也需要新的模式。

人力政策

現在幾乎每個地方在進行人力資源管理時，都假設勞動力大致仍由企業雇用的人組成，這些人為企業專職工作，直到開除、離職、退休或死亡為止，可是在很多組織中，高達五分之二的工作人員並非員工，也不是從事專職工作。

今天的人力資源經理仍然假設最理想、最便宜的員工是年輕員工，在美國尤其如此。年紀比較大的人、尤其是年紀比較大的經理人和專業人士，都被迫提早退休，讓位給較年輕的人，因為大家相信這些人的成本較低，或是擁有比較新的技術。這種政策的結果並不令人滿意，一般而言，只要經過兩年，較年輕員工的平均工資成本如果沒有更高，通常也會回到和「老人」被趕走前一樣。受薪員工數增加的速度，似乎至少會跟產量或銷售量增加的速度一樣快，這表示，年輕新員工的生產力並未超過舊員工。在很多情況下，人口結構會使目前的政策愈來愈失敗、愈來愈昂貴。

人力政策的第一個需求，即是要涵蓋所有為某家企業工作的人員，無論這些人是否由企業雇用，畢竟，他們每個人的績效都很重要。不過到目前為止，似乎還沒有人就這個問題提出令人滿意的解決之道。第二、企業必須吸引、維繫和激發已屆正式退休年齡人員的生產力，對於已經變成獨立外包商或無法專職擔任長期員工的人，也要這麼做。例如，擁有高級技術、受過高等教育、年齡較大的人員或許不必退休，而是

提供他們另一種選擇以延續關係，把他們變成長期的「內部的外部人」，保留他們的技術和知識為企業所用，給予他們期望、同時公司也能承擔的彈性與自由。

這種模式已有前例可循，不是出自企業，而是出自學術界。學界有所謂的名譽教授，他們可以隨心所欲的教書，也只拿教書工作的薪水。很多名譽教授已經完全退休，但其中可能有高達一半的人，繼續以兼差的方式教書，也有很多人繼續做專職的研究。企業界的高級專業人士很可能適用類似的安排，美國某家大公司正在為法務和稅務部門、研究和發展部門，以及幕僚部門年紀較大的高階人員，安排這類做法，但是對銷售、製造等營運工作的人員，則可能需要不同的方法。

外界資訊

令人驚異的是，有人主張資訊革命讓經營階層變遲緩了，經營階層的確擁有更多資訊，但是，大多數資訊都是由資訊技術部門提供，都是和公司事務有關，又方便拿到的資訊。然而，正如這篇調查報告所顯示的，今天影響一個機構最重要的變化，可能是外界的變化，現有的資訊系統通常對這類變化一無所知。

可能的原因是，和外界有關的資訊，很少以電腦得以利用的形式呈現出來，這些資訊未經過編碼，通常也沒有量化，這是為什麼資訊人員和他們的經理人顧客，通常

會鄙視與外界有關的資訊，將之稱為「趣聞」的原因。此外，有太多經理人錯誤的認定：自己長久以來所了解的社會，會永遠保持原貌。

現在，外界資訊已經可以從網際網路取得，雖然這些資訊仍然雜亂無章，但經營階層現在可以自問需要何種外界資訊，以做為設計適當的資訊系統，收集外界相關資訊的第一步。

改變的原動力

若要繼續生存和成功，每個組織都必須成為改變的原動力，要成功的管理改變，最有效的方法就是自己創造改變。但經驗顯示，把創新移植到傳統企業上不會成功，企業得先變成改變的原動力，必須放棄已被證明不成功的東西，也必須有系統、持續不斷地在企業內部，改善每種產品、服務和程序。要這麼做，公司得利用成功的事物，尤其是計畫之外的成功事物，也需要有系統的創新。要成為改變的原動力，首先要改變整個組織的心態，讓大家不把改變當成威脅，而是當成機會。

還有什麼問題？

談了這麼多如何作好準備，以應付我們可以看到的、正在成形的未來。然而，對於我們一無所知的未來趨勢和世界，我們要怎麼應付？如果說，有什麼事情是我們可以確定的，那就是未來的變化會在我們的意料之外。

以資訊革命為例，幾乎每個人都肯定兩件事，第一，資訊革命以前所未有的速度進行，第二，資訊革命的影響比過去任何事情都深遠。這兩點都錯了，就速度和影響力而言，資訊革命和過去兩百年的兩次先例很像，一次是十八世紀末和十九世紀初的第一次工業革命，一次是十九世紀末的第二次工業革命。

一七七〇年代中期，瓦特改良蒸汽機，引發了第一次工業革命，立刻對西方的創造力造成驚人的影響，但是，直到一八二九年的鐵路、以及其後十年預付郵政服務和電報發明後，才造成社會和經濟上的劇烈變化。同樣的，一九四〇年代中期發明電腦，也就是在資訊革命中擁有和蒸汽機相同地位的東西，激發了人類的創造力，但是要到四十年後，也就是一九九〇年代開始廣泛運用網際網路之後，資訊革命才開始帶來重大的經濟和社會變化。

今天我們對所得和財富的日漸不平等，以及出現微軟董事長比爾·蓋茲之類的「超級富豪」，會感到困惑和震驚。但是，這同樣也出現在第一次和第二次工業革命，如果我們去對照當時的平均所得和財富，再比較今天美國的平均所得與財富，我們會

發現，當年的超級富豪甚至比蓋茲富有多了。

這些相似之處的確令人驚異，使我們幾乎可以確定，資訊革命會像工業革命初期一樣，它對未來社會的主要影響還沒出現。就創造新機構和新理論而言，第一次和第二次工業革命後的數十年，是十六世紀以來最能創新、最有收穫的期間。第一次工業革命把工廠變成核心生產組織，也變成創造財富的主要機構，工廠工人逐漸成為自一千多年前穿盔甲的騎士以來，首先出現的新階級。羅斯財家族（Rothschild）在一八一〇年後，成為世界主要的金融力量，不但是第一家投資銀行，也是自十五世紀漢撒同盟（Hanseatic League）和麥迪奇家族（Medici）以來的首家多國公司。第一次工業革命也創造了很多其他東西，包括智慧財產權、一致的商行組織、有限產品責任、同業工會、合作社、科技大學和日報。第二次工業革命產生了現代公務員和現代的公司、商業銀行、商學院，以及第一份婦女可以在家庭之外從事的非傭僕工作。

兩次工業革命也創造了新的理論和意識形態，《共產主義宣言》就是對第一次工業革命的反應，塑造二十世紀民主制度的政治理論，包括俾斯麥的福利國家、英國的基督社會主義和費邊主義（Fabianism），以及美國對企業的管制等等，都是對第二次工業革命的反應，泰勒（Frederick Winslow Taylor）從一八八一年開始的「科學管理」（scientific management），與隨之而來的生產力爆炸性成長，也是如此。

偉大的觀念

在資訊革命之後，我們再度看到新機構和新理論的出現，新的經濟區如歐洲聯盟、北美自由貿易區和倡議中的美洲自由貿易區，它們既不是傳統的自由貿易，也不是傳統的保護主義產品。這些機構都設法在國家的經濟主權與超國家的經濟決策權之間，尋求新的平衡點。同樣的，主宰世界金融的花旗集團（Citigroup）、高盛公司或荷興銀行霸菱集團（ING Barings），其實也沒有先例，這些公司不是多國公司，而是跨國公司，他們經手的金錢，幾乎完全不受任何國家的政府或中央銀行控制。

除此之外，大家對熊彼得的假設興趣激增：包括「動態不均衡」是經濟唯一穩定的狀態；創造發明家的「創造性毀滅」是經濟的動力；以及新科技即使不是經濟變化唯一的動力，也是經濟變化的主要動力。這一切正好跟早期的經濟理論成對比，例如均衡是經濟健全的標準，貨幣與財政政策是現代經濟的動力，以及科技是一種「外在力量」。

我們幾乎可以肯定的說，最重大的變化還沒有出現，我們也可以確定，二〇三〇年的社會跟今天的社會一定大不相同，它一點也不會像暢銷未來學家所預測的樣子，

它不會由資訊科技主導，甚至不會由資訊科技來塑造，資訊科技當然很重要，但只是眾多重要新科技的一種。下一個社會的主要特色會跟從前一樣，是新機構、新理論、新意識形態以及非常多的問題。

謝詞

我總是把本書這種可以集結成書的短文，以雜誌文章或雜誌專訪的方式，先行發表在雜誌上，這樣我可以獲得專業編輯與訪問者的採訪，這種高品質、深入的「回饋」，是我從其他方式不可能得到的。但是有一個小小的缺失，就是每篇文章的數字和統計資料，都是先前發表年度的數字，而不是書籍出版的年份數字，要更新這些資料會造成許多困擾，而那些數字說明的趨勢並沒有改變，因此就像我在序中說過的一樣，出版商和我都傾向不更新這些數字和統計資料，而是在出書時於各章註明第一次發表的年度，如此也讓讀者有機會檢驗我對情勢發展的判斷是否正確，還是後續發展已否定了我的說法。出版商和我都決定不修改任何內容，只更正排版和拼字方面的錯誤，同時在某些情況下改變章名，而這通常是把個別出版品編輯選擇的名字，改回作者原先選定的章名。此外，每一章都保持第一次寫好時的原貌，而在第四篇裡，讀者會找到最新的年分，也就是二〇〇〇年和二〇〇一年。

本書的內容中，超過五分之一最先是刊登在《經濟學人》雜誌上：第四章「電子商務是最重大的挑戰」，刊在《經濟學人》二〇〇〇年年鑑；第九章「金融服務：不創

新就滅亡」，刊在一九九九年的《經濟學人》；最後一篇「下一個社會」，則刊在二〇〇一年秋末的《經濟學人》調查報告中。有四篇以專訪的形式發表：第二章「網路引爆的世界」，刊在二〇〇一年的《紅鯡魚雜誌》上，第五章「新經濟還未出現」，刊在二〇〇〇年的《商業2·0》雜誌，第七章「企業家與創新」，刊在《公司雜誌》，第十章「超越資本主義？」刊在一九九八年的《新觀點季刊》，另外兩章、就是第十二章「全球化經濟與民族國家」和第十三章「笨蛋，這是社會問題」，分別於一九九七年和一九九八年，刊在《外交事務季刊》（Foreign Affairs Quarterly）。另外，第六章「新千禧年的執行長」在《觀點》雜誌（Viewpoint）刊出，第三章「從電腦識字率到資訊識字率」，在《富比士／ASAP雜誌》（Forbes／ASAP）刊出，第十四章「城市的進化」，在《領袖群倫雜誌》（Leader to Leader）上刊出，第一章「資訊革命的未來」，在《大西洋月刊》（Atlantic Monthly）刊出，第十一章「偉大機構的崛起」，在《華爾街日報》刊出，第八章「他們不是員工、是人員」，在《哈佛商業評論》刊出，我希望表達對這些雜誌的編輯與四位專訪者的感激之情，感謝他們的問題、批評、指正和建議。

就像我過去的論文集一樣，本書能夠出版，要深深感謝長期為我出版的杜魯門泰利圖書公司發行人杜魯門．泰利（Truman M. Talley）先生，他指引和建議我選擇題

目，並完成最後的架構，讀者和我都對他至為感謝。

CEO的智慧

作者 / 威廉・道菲耐、葛雷蒂・明斯、柯林・普萊斯

譯者 / 鄭俐、林秀津

定價 / 250元

■ BW0122

在全球化的衝擊下，電子商務、新興科技、知識管理等雅虎、新力、杜邦如何維持其競爭力？

當今最具前瞻眼光的十五位企業領袖是如何改變現今商業界現況的？

本書介紹十五位最具前瞻力的企業領袖積極改變現今商業界的範例，這些頂尖的國際企業領袖說明他們如何面對推動今日商業的四個重要因素——「創新」、「電子商務」、「破壞性科技」以及「知識管理」——並給予讀者寶貴的指引，教讀者如何強化公司的市場佔有率。聽他們就以下這些熱門的話題發表經驗之談：

- 如何運用網際網路來擴張B2C，以及B2B的關係，而不引起縣有通路夥伴的敵對心理
- 如何利用破壞性科技建立學習型組織
- 如何在組織中進行創新
- 如何將知識轉變成績效，把知識應用到實體世界時會面臨何種狀況

實現六標準差的第一本書

作者 / 喬治・艾克思
譯者 / 蘇朝墩、陳麗妃
定價 / 260元

■ BW0123

「六標準差」是目前全世界最發燒的企業管理哲學，藉由深入了解顧客需求、分析事實與資料，以及改善和創新企業流程管理，希望帶領企業獲取全面性的經濟效益。然而，計量技術方法雖然確實可以使企業掌握事實的戰術，但是文化面的管理則可提供讓企業達到真正的六標準差文化轉型之策略。也就是說，六標準差的技術面與文化面能互相增進，強化彼此的效用。目前市面上談論六標準差的書籍大多是著眼於技術層面的介紹，本書則是推行六標準差的具體策略指南，特別強調如何在組織中成功地落實六標準差。

本書作者曾經協助奇異公司導入六標準差，同時輔導該公司執行教育訓練，他成功擔任企業顧問超過二十年的時間，對於組織試圖推行六標準差時所面臨的策略、技術與文化上的挑戰有著獨到的見解。閱讀此書時，彷彿身歷其境，與作者同時經驗各知名企業在六標準差之路的成功秘訣與失敗關鍵。作者站在企業推行的立場，說明執行各項改善與改革時，實際面臨的「事」與「人」的問題，並提供具體處理的解決之道，這不僅是針對六標準差，即便是對其他的各種管理活動之塑造與實施，都是相當罕見而珍貴的。

併購實務的第一本書

作者 /台灣通商法律事務所，黃偉峰
定價 / 300元

■ BW0124

對照近幾年「全球因政經局勢變化，各地紛紛響起組織再造、強化競爭力的呼聲」及「國內因金融改革、產業轉型、加入WTO……等重要發展，有關併購的消息愈來愈多」等現象，「併購」和一般人特別是企業主的關係越來越密切是無庸置疑的。作者累積多年在世界各地進行併購案的實際規劃、談判和推動的實務經驗，認為「併購」的基本架構其實不難，在操作上，它有特定方法可依循，如果企業經營者能好好運用，就有機會享受「併購」可能帶來的極大利益，迅速壯大經營規模。

作者發現，美國的企業主對併購案的心態比台灣人積極許多，他們多半抱持「賣公司是為公司及股東謀求最大利益的一種方法」的態度；反觀台灣的企業文化，由於經營權和所有權經常混淆不清，所以對經常視「賣公司」為拱手讓出辛苦創業結晶的心態，甚至因而覺得丟臉、難堪。在本書中，作者分享了他累積多年的專業知識與實務經驗，希望讀者在對「併購」有基礎的了解後，改變對「併購」的觀念，並培養運用「併購」的能力。

麥葛瑞格人性管理經典

作者 / 蓋瑞・海爾、華倫・班尼斯、黛伯拉・史蒂芬絲

譯者 / 李康莉

定價 / 260元

■ BW0125

麥葛瑞格（McGregor）主張人性本善的Y理論，認為組織中的員工會自動自發達成指派的任務。他相信，當世界變得更複雜，當科技使企業更有競爭力時，「人」更將成為組織成功的關鍵。基本上，他相信所謂「企業的人性面向」，同時，他認為我們距離組織的成果效益最佳化，還有一大段距離。企業不是人類器官組成的機器，隨時可以代換，而是活著的有機體，在達到一個互利的經營目標的同時，幫助員工自我成長。

重要的是人的態度，因為態度會決定行為。我們都是被想法牽著走，如果不能改變對人的基本態度，絕不會改變任何事情。而這個觀念迄今仍未廣為企業組織所接納。但現今的經濟發展顯示，我們所處的企業或機構組織，比過去各種型態的組織，已經更能接納麥葛瑞格的理念。網路經濟的興起、第一線員工的勢力漸長、從集體生產到個體消費的權力移轉、企業發展的變化，這些條件都使麥葛瑞格式的工作觀變為可能。

情緒行銷

作者 / 史考特・羅賓耐特、克萊兒・布蘭德、維奇・蘭茲

譯者 / 陸劍豪

定價 / 280元

■ BG0014

Hallmark是歷史悠久、廣受消費者喜愛的世界品牌。本書是Hallmark針對顧客忠誠度所寫的專書。對世界各地成千百萬的Hallmark愛用者而言，Hallmark的品牌代表的遠超過賀卡本身，那是種一輩子的感覺、來自過去的延續、對未來的希望。《情緒行銷》一書中，熟悉Hallmark 公司作業的人士首度揭開該公司永續經營、歷久不輟的「情緒行銷」策略。

《情緒行銷》乃是Hallmark忠誠度行銷集團的領導人所執筆，他透過第一手資訊，向縱橫商場的讀者深入分析不可思議的神奇力量：讓各年齡層、為數眾多的顧客群，與公司建立起永續不輟的情緒連繫。更重要的是，本書介紹「情緒行銷」最原創的原則與技巧。

在書中，你會學習到關懷的力量，學到如何透過關懷找回顧客滿意度與顧客忠誠度間那遺失的環節；你會學習到ValueStarSM模型，透過這工具指導企業在正確的時刻向正確的顧客傳遞正確的情緒訊息；你還會學習到如何經營公司共識，讓員工保持聯繫感，並讓顧客覺得備受重視。經由本書，你將與Hallmark輔導過的數十家企業一樣，獲得同樣的專業建議與指導，讓「情緒行銷」變成公司策略火藥庫的最主要彈藥。

科技行銷Data Book

策劃 / 東方線上、E-ICP研究中心
編著 / 東方線上生活型態研究小組
定價 / 400元

■ BG0015C

東方廣告E-ICP研究中心與東方線上共同策劃的《科技行銷Data Book——台灣科技生活調查報告》，以E-ICP行銷資料庫為基礎，以圖表解析台灣科技生活，帶領行銷人員由外（產品使用實態）到內（科技生活態度與價值觀），了解科技產品如何與現代消費者的生活結合：

・ICP研究中心提出十大科技生活觀察點：加速中的科技生活、由底層引爆的、多元化、時尚化、娛樂化、行動化的科技生活；
・熱門科技產品使用實態：電腦、行動電話、網路、電玩等熱門科技產品的使用實態大公開；
・科技生活的態度與價值觀：對科技產品的依賴、流行感度、憂慮、科技產品消費擴散模式；
・科技生活下的消費者：科技衝擊下的不同消費型態，提供市場深度區隔基礎；《科技行銷Data Book－台灣科技生活調查報告》是掌握科技行銷的最佳指南。

廣告的眞實與謊言

作者 / 瓊・史迪爾

譯者 / 岳心怡

定價 / 340元

■ BG0016

廣告並非再也無法引起目標消費者的注意，只是當它愈來愈依循固定的模式傳送到我們眼前，就不容易產生必要的連結。

本書的中心思想乃是：最好和最有效的廣告，是那些試圖從溝通和發想信息兩方面使消費者涉入的廣告。現存作廣告的方式已經是不合時宜的機械論，充其量只能抓住近在眼前的消費者。結果總是一樣，不能先認清消費者與產品、產業的關係，廣告就不能與其在心靈層次上產生聯結，於是根本無法改變消費者的既有認知與態度。

最好的廣告應該是簡單、動人，每一次都會讓消費者留下深刻的印象。廣告人都應趁現在以新方法檢視他們的廣告，抓住改變的契機，以創造誠、信、愛的消費者關係，作為他們未來廣告活動的基礎。

國家圖書館出版品預行編目資料

下一個社會／彼得・杜拉克（Peter Drucker）作；劉真如譯．--初版.--臺北市：商周出版：城邦文化發行, 2002〔民 91〕
面：　公分 --（新商叢：126）
譯自：Managing in the next society: beyond the information revolution
ISBN　986-7892-42-9（平裝）
1. 企業管理
494　　91011498

新商叢126

下一個社會

原著書名／MANAGING IN THE NEXT SOCIETY
原出版者／ST.MARTIN'S PRESS
原著者／Peter F. Drucker
譯者／劉真如
副總編輯／陳絜吾
責任編輯／辜雅穗

發行人／何飛鵬
法律顧問／中天國際法律事務所周奇杉律師
出版／商周出版
台北市愛國東路 100 號 6 樓
電話：(02)23587668　傳真：(02)23419479
E-mail：bwp.service@cite.com.tw
發行／城邦文化事業股份有限公司
台北市信義路二段213號11樓
聯絡地址：台北市愛國東路 100 號 1 樓
電話：(02)23965698　傳真：(02)23570954
郵政劃撥 1896600-4 戶名：城邦文化事業股份有限公司
網址：www.cite.com.tw
香港發行所／城邦（香港）出版集團有限公司
香港北角英皇道310號雲華大廈4/F, 504室
電話：25086231　傳真：25789337
馬新發行所／城邦（馬新）出版集團 Cite(M)Sdn. Bhd. (45837ZU)
11, Jalan 30D/146, Desa Tasik,
Sungai Besi, 57000 Khala Lumpur, Malaysia.
電話：603-9056 3833　傳真：603-9056 2833
E-mail：citekl@cite.com.tw

封面設計／兩隻滑鼠
電腦排版／極翔企業有限公司
印刷／韋懋印刷事業股份有限公司
總經銷／農學社
電話：(02)29178022　傳真：(02)29516275
行政院新聞局北市業字第 913 號

■2003年3月 5日初版62刷　Printed in Taiwan.

定價／280元

　ISBN 986-7892-42-9